CE QUE L'HOMME A CRU VOIR

DU MÊME AUTEUR

UN JEUNE HOMME PROMETTEUR, *roman*, Grasset, 2014.

GAUTIER BATTISTELLA

CE QUE L'HOMME A CRU VOIR

roman

BERNARD GRASSET

PARIS

Photo de la bande : JF Paga.

ISBN 978-2-246-85973-4

À mes parents

« *Ce n'est pas vrai que les morts ne vivent plus.* »

PROUST, *Sodome et Gomorrhe*

Je sais ce qu'ils pensent de moi, les autres. On ne peut empêcher personne. Je croyais qu'un jour, je ne les entendrais plus. Je me suis trompé. Ils hurlent à voix basse. On me regarde par-derrière. On chuchote «pauvre garçon», ce n'est pas de moi qu'ils parlent. Ils racontent des tas de mensonges. J'ai peur de finir par les croire. Je me regarde dans le miroir, j'ai changé. Le matin, j'ai la bouche pâteuse, mauvaise haleine. Je commence à perdre mes cheveux. Je ne dors plus. Je n'en peux plus de grelotter sous le soleil. La fièvre, en été. Tu les entends, aussi? Ces voix, le jour et la nuit. Dis-moi que je ne suis pas le seul à devenir fou… Le matin va se lever. Mon sac est prêt. Je n'ai pas peur, aucun regret. Puisqu'ici, on refuse d'oublier, j'irai là où on ne me connaît pas. Ne me cherche pas. Nous ne nous reverrons plus. Bonne chance, Toni.
Simon.

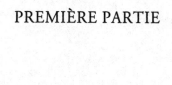

PREMIÈRE PARTIE

Chapitre premier

Prétendre que le vieux Gregor n'était pas bavard relève de la litote : il ne s'exprimait que contraint par les circonstances. Sa tendance à l'exagération silencieuse s'était accentuée à la mort d'Angelina, la seule femme qu'il ait jamais aimée. Parfois, pourtant, la vieille prune qu'il distillait derrière la chaudière prenait la parole à sa place ; certains souvenirs échappaient à leurs bâillons. Peut-être se cachait-il davantage derrière ce qu'il omettait de révéler. Qu'importe. Depuis John Ford, tout le monde sait que quand la légende est plus belle que la réalité, on raconte la légende.

« Je suis né de la mort de ma mère, une nuit de décembre. » C'était en 1921, à trente kilomètres de Zakopane, dans les montagnes de la petite Pologne. Gregor y avait passé une enfance rude et solitaire, auprès de son père menuisier. Il l'aidait à l'atelier : de cette période remontait sa fascination pour les outils minutieux, ciseaux, couteaux, ou alènes. À dix-sept ans, il avait assisté à l'entrée des troupes

15

allemandes, venues de Slovaquie. Lui ne connaissait que la pierre et l'odeur du feu, le mugissement sourd des châtaigniers, balayés par les vents d'altitude et les tourbillons des ruisseaux de montagne. Les chars, ces masses compactes de métal et de feu, avançaient lentement, en file indienne et écrasaient les champs, les hommes, les animaux, même les collines. La cavalerie polonaise et les quelques blindés furent pulvérisés par les raids aériens de la Luftwaffe, des villages entiers réduits en cendres. Les corps gisaient au bord des routes, déchiquetés. Les civils soupçonnés de résistance étaient exécutés par balles ou à la grenade. On incendia écoles comme églises. Seuls passaient encore les fantômes de chiens efflanqués, rendus sourds ou estropiés par les bombardements, les yeux hagards, se demandant ce qu'ils foutaient là. La Pologne cessa d'exister. Gregor appelait cela « le début du grand silence ».

Nombre de camarades de Gregor acceptèrent de travailler pour l'occupant et rejoignirent le bassin houiller de Silésie ou de la Ruhr allemande. Quand il apprit que l'URSS venait de pénétrer en Pologne, son père enfouit dans son gros sac en toile une gourde, du pain, du fromage, des fruits secs, et une couverture. Ensuite, il serra son fils dans ses bras et lui offrit un petit couteau en demi-lune, glissé dans une gaine de cuir. Il n'y eut pas de larmes. L'hiver 1940 laisserait dans les mémoires un souvenir de neige, de sang et de nuit. Gregor traversa la Slovaquie, la Hongrie, puis rejoignit la Slovénie. Il couchait là où s'effondrait son corps, sous les voies de chemin de fer, au pied d'une souche, dans une grange à ciel ouvert. Gregor buvait l'eau des mares, volait des fruits, et même un jour tua une poule. L'Europe tout entière avait basculé dans la folie. Les gens se hâtaient, poursuivis par leurs ombres, on soupçonnait un frère, un ami, un fils. Gregor fut arrêté à la frontière italienne, hirsute, affamé, en haillons. Ses chaussures, qu'il avait pris soin d'entretenir pendant le périple, ressemblaient à deux bouts de cuir fondu. On l'emprisonna dans un ancien monastère – les Italiens ont toujours eu le goût du mélodrame. Des vierges en deuil veillaient sur les âmes égarées ; il y avait là des déserteurs allemands, des Français qui s'étaient trompés de sens en traversant les Alpes, des Juifs autrichiens, une poignée de Russes, peut-être communistes – même un Américain, venu visiter Milan. Gregor avala une mauvaise soupe, qu'il vomit, demeura deux jours semi-conscient. Un matin, il trouva sa cellule ouverte et la prison désertée. Dehors, c'était le printemps. Les oiseaux piaillaient. La campagne était belle, inconsciente. Les branches des pommiers ployaient, alourdies de fruits. Gregor attrapa une colique mémorable.

Il parvint à Nice, plus de six mois après avoir quitté ses montagnes. Gregor pleura en embrassant la terre de France, dont il conserverait toute sa vie un flacon. Une famille le trouva recroquevillé dans un fossé, grelottant, à moitié délirant. Il fut soigné, nourri, caché. On lui proposa de rester, le fils de la famille s'était enrôlé dans les troupes mussoliniennes. Il remercia ses bienfaiteurs, mais le lendemain, à l'aube, il avait disparu. Le 3 mai 1940, il entrait dans Carmaux. La ville toussait une haleine noire et épaisse. On disait que le jour ne se levait jamais tout à fait. Gregor était parvenu à respecter la promesse faite à son père. «C'est la patrie de Jaurès, lui avait-il dit. Là-bas, tu seras bien reçu. J'ai un cousin, Petroj, va le voir.» Carmaux, Decazeville, Blaye-les-Mines, les villes houillères de la zone libre étaient devenues bilingues – voire trilingues, si on comptait la petite diaspora italienne. Les Espagnols ayant fui Franco s'étaient arrêtés au soleil, à Toulouse. Les Polonais composaient quatre-vingt-dix pour cent des effectifs de la compagnie minière de Carmaux et Blaye. Gregor apprit la mort de Petroj le jour de son arrivée. On l'avait porté en terre la semaine précédente. Ses employeurs furent trop heureux de le remplacer par le jeune homme, certes amaigri, mais plus fringant que les spectres qui hantaient les ruelles poisseuses de la cité ouvrière. Un mois plus tard, la France capitulait.

Gregor Reijik connaissait les propriétés du bois et l'usage des outils : il apprit l'art du boisage. Le premier, il se glissait dans le boyau, sécurisait les galeries de roulage à l'aide d'étais en résineux, ou de rondins, disposés entre les parois – quand le bois craquait, cela signifiait que la paroi se rapprochait. Les mineurs appelaient les boiseurs «leurs petits bons dieux», car ils leur avaient sauvé la vie plus d'une fois. «Le sapin chante en travaillant.» Une fois, Gregor avait rassemblé deux jours durant des rondins en nid d'abeilles pour soutenir le ciel, le plafond de la mine.

Ce n'est pas donné à tout le monde de soutenir le ciel. Gregor n'était pas un simple charpentier des profondeurs : le Nibelung bâtissait des cathédrales souterraines. Parfois les chandelles cédaient, et une partie de la galerie s'effondrait, du fait des conditions climatiques ou de la surexploitation liée à l'effort de guerre. Si l'on ajoutait les coups de grisou et de poussier, les maladies pulmonaires et les rixes des soirs de paye, on comptait une procession funéraire tous les dimanches. La ville défilait derrière le cercueil, tiré par un attelage sommaire. Il ne serait jamais venu à quiconque l'idée de manquer les messes basses, qui succédaient à l'office. On y discutait commerce, en crachant dans la main pour conclure une transaction ; les amoureux se demandaient en mariage et convolaient la semaine suivante ; les familles ennemies se réconciliaient autour du cortège, en prenant le défunt à témoin. Les heures étaient brèves, les morts rapprochaient les vivants.

Un matin, très tôt, à l'heure des mauvaises nouvelles, Gregor reçut une lettre. Une cousine qu'il ne connaissait pas lui annonçait le décès de son père, qu'elle qualifiait de « résistant » et de « héros de guerre » : il s'était tranché les veines, pour éviter d'être arrêté. Le courrier datait de plusieurs mois. Son père était mort quelques semaines après son départ, son atelier réquisitionné. Gregor demeura allongé une journée sur sa paillasse, et retourna à la mine le lendemain. Nul, au fond, n'en sut jamais rien. Les vérités et les larmes, c'était bon pour ceux d'en haut. La terre absorbe les gémissements. Il ne se confia qu'à Angelina, une petite Italienne, gironde comme tout – ça tombait bien, elle parlait un dialecte napolitain, pas un mot de polonais. Quand Angelina prit sa main entre les siennes, Gregor ressentit un pincement bizarre, au creux de la poitrine. Lui qui était puceau en amour crut déceler le premier symptôme de la silicose, et se prépara, dignement, à l'inéluctable.

L'inéluctable se fit attendre, contrairement aux Allemands, qui s'emparèrent des mines de Carmaux en 1942. En guise de résistance, certains mineurs refusèrent de descendre. Il y eut des arrestations, des déportations. Certains furent abattus, abandonnés à l'endroit où ils étaient tombés. Les camarades qui venaient, à la nuit, dérober les corps des malheureux pour leur offrir une sépulture décente, étaient obligés de soudoyer les gardiens pour qu'ils ne les abattent pas dans le dos. Ils tiraient parfois, par jeu ou ennui.

Profitant d'une nuit obscure, Gregor se glissa près des charniers. Il rampa sur plusieurs dizaines de mètres dans la boue, il connaissait le terrain au trou de taupe près. Un feu crépitait. Les soldats buvaient, plaisantaient. Gregor attendit. Il attendit encore. «Ils finiront bien par aller pisser, les Allemands pissent beaucoup.» Armé de son couteau en demi-lune, il égorgea trois soldats et les enterra dans des excavations, au fond de galeries abandonnées. Impossible pour les officiers de prouver quoi que ce soit, en l'absence des corps. Ils avaient pu déserter. L'occupant instaura un couvre-feu, les soldats continuèrent à disparaître. La peur sait se montrer convaincante : les uniformes olive refusèrent de monter la garde, de nuit. Personne n'a envie de finir éventré, dans une flaque de boue. Les Allemands laissèrent les mineurs enterrer leurs morts. Les cortèges funéraires traversèrent de nouveau Carmaux, le dimanche – parfois quelques soldats se joignaient à la procession. Les nouvelles du front n'étaient pas bonnes. Il se murmurait de plus en plus fort qu'Adolf Hitler pourrait perdre la guerre. C'était ce qu'ils souhaitaient tous, avant que le monde ne s'effondre pour de bon. Carmaux fut la première ville du Sud-Ouest libérée par ses propres moyens, le 16 août 1944. Le ciel baignait ce soir-là dans une lumière douce et argentée. Le couvercle de particules qui étouffait le ciel s'éleva. Il fallut attendre huit ans pour que Vincent Auriol décerne à Carmaux la croix de guerre. Un peuple ouvrier, à majorité étrangère, qui se révolte seul, est suspect.

Angelina et Gregor baragouinaient un français plein d'arêtes et de chausse-trappes. Ils étaient tombés amoureux sur un malentendu, et s'aimèrent avec peu de mots. On les retrouve, blottis l'un contre l'autre, en août 1944, sur un trottoir de Carmaux, cœurs et poings liés par la dureté des temps, puis la résistance et la liberté, enfin. Ils avaient choisi de quitter les terres noires du Tarn, où même les corbeaux étaient dépressifs. On salua les camarades, on ne se promit rien. Arriva le jour du départ, vers de lointaines contrées. Ces contrées-là ne furent pas si lointaines. Peut-être Gregor jugea-t-il qu'il avait déjà suffisamment usé ses souliers, peut-être furent-ils séduits par un vallon, une clarté, quand le printemps se faufile entre les frondaisons, à moins que cette campagne qui dodeline n'ait rappelé à Angelina son pays. Gregor et Angelina s'établirent ici, à flanc de colline. Et c'est ainsi que Verfeil, la cité aux vertes feuilles, accueillit le premier Polonais de son histoire. Sur la seule image de cette époque, ils se tiennent devant la maison (elle debout, lui assis sur une chaise en paille, béret sur la tête et poings sur la canne), sérieux comme des papes, à guetter le petit oiseau qui tardait à sortir du soufflet de la chambre photographique.

De la bâtisse qui deviendrait le havre de la famille (et qu'on appellerait, plus tard, «la vieille»), ne subsistait alors qu'un mur. Tout l'espoir de Gregor reposait sur ce mur. Beaucoup d'imagination était nécessaire pour croire qu'un jour cet ancien enclos abriterait d'autres créatures que les ronces et les orties qui en tapissaient le sol – or, d'imagination Gregor ne manquait pas, ni de courage d'ailleurs. Il retroussa ses manches et commença à creuser. Un voisin, monsieur Février, les hébergea. Gregor construisit d'abord une imposante cheminée. Les pièces s'enroulèrent autour, comme une écharpe. Angelina, pendant ce temps – peut-être vêtue de son infatigable tablier fleuri –, retournait la terre, cultivait courges, tomates et choux, pestait contre les moineaux. Quelques poules caquetaient sur les talus, les lapins léchaient le grillage de leurs clapiers.

Un beau matin de janvier, monsieur Février mourut. Et c'est la larme à l'œil que sa fille leur annonça que son regretté papa leur léguait un hectare d'arbres fruitiers, le petit étang, dans lequel il aimait faire semblant de pêcher, ou observait les libellules voleter parmi les hautes herbes. Monsieur Février était le plus grand propriétaire terrien des environs. Dans son testament, il leur demandait d'entretenir le pigeonnier. Gregor en fit son atelier. Il y retrouva les gestes de son père, et comme lui, il y travaillait sourcils froncés. Il délaissa le travail du bois pour celui du cuir, dont il vénérait les outils, aiguilles et carrelets, fers d'alènes, cornette, abat-carre, couteau à parer, lissoir. Il concevait des harnais, des sangles, des ceintures et même des portefeuilles, pour hommes et demoiselles.

La bâtisse avait essuyé sa première grêle. Il était temps de se marier. Ce qu'ils firent en toute discrétion, en septembre 1950. Une cérémonie intimiste, deux bergers en guise de témoins, un baiser et c'était parti pour la vie. Cette nuit-là, un orage furieux battit la campagne, et un chêne tomba à quelques centimètres du toit. Mais Gregor ne croyait pas aux présages.

Un événement anodin allait inscrire son nom dans les annales villageoises. Il arrivait à Gregor Reijik de descendre au village prendre un verre, pour ne pas perdre contact avec l'humanité. Ce soir-là, il s'était rendu directement au bar, en sortant de l'atelier, et portait son tablier à bavette de grosse toile noire fripée, renforcé de cuir sur le devant. L'endroit était dépouillé, mais propre – quelques tables, un long comptoir en bois, des cageots de bouteilles entassés au petit bonheur la chance (et qui servaient d'assise quand on manquait de tabourets). Au mur, des plaques émaillées, Suze et Ricard, et toujours une odeur de vin, râpeuse, mêlée à celle du tabac blond. On entrait en gueulant «Louise, un canon!». C'était l'époque où l'on appelait sa femme «la Germaine» ou «la Nicole» – et elles surgissaient parfois, furibardes, Germaine ou Nicole, attrapaient leur mari par le collet, parce que les lentilles au petit lard étaient chaudes, et que si elles avaient accroché au fond de la casserole, c'était à cause de ce «soudard, enfant de soudard, qui buvait sa retraite dès les huit heures du matin». À Paris, Thorez postillonnait à la Mutualité, les marxistes n'avaient d'yeux que pour le borgne et le castor, ignorant que vingt ans plus tard, leurs propres enfants leur cracheraient à la gueule. À Verfeil, miracle d'équilibre et de constance, seules les parties de bourre, de dominos, ou les résultats du Stade parvenaient à échauffer l'auditoire. Paris, c'était aussi loin que la Chine, de toute façon, là-haut, comme là-bas, ils étaient tous barjos, c'était leur problème s'ils voulaient bouffer du riz communiste, ici le patron, c'était le haricot tarbais. Bref, on profitait de la paix, loin des tumultes du temps. À l'époque déjà, on se méfiait des étrangers.

Gregor sirotait son Picon en silence. Se taire, c'était son affaire. Il écoutait, il apprenait. Un homme était entré, un type rougeaud, portant mal des habits coûteux, un bourgeois de province rendu prospère par l'Occupation, chevelure grasse et bajoues persillées. Écroulé sur le zinc, il avait demandé une prune. Une autre, puis une troisième. Cadeaux de la maison, fit le patron. Le type dirigeait plusieurs carrosseries, il était craint. Ce soir-là, il avait envie d'en découdre. « Toi le Polak, j'ai entendu parler de toi, tu viens voler le travail des Français. » Gregor, qui n'aimait guère solliciter inutilement ses glandes salivaires, prit le temps de lui expliquer qu'il n'avait jamais rien volé à personne, ou seulement parce qu'il crevait de faim. Il était ici pour travailler le cuir, or personne, dans le village, n'avait jamais travaillé le cuir. Dans le Verfeil des années 1950, il y avait bien des limonadiers de père en fils, des marchands de charbon, un maréchal-ferrant, un aiguiseur de couteaux itinérant, et même les derniers tondeurs de laine de la région, mais nul ne connaissait l'art de la maroquinerie. Gregor l'invita à son atelier. L'autre, échauffé par l'alambic, n'en démordait pas, et le montra du doigt à l'assemblée – ce que Gregor, pour une raison qui lui était personnelle, considéra comme l'insulte de trop. Il finit son verre et sortit. L'homme le suivit une demi-heure plus tard. Gregor conservait toujours avec lui quelques instruments aux formes et utilisations énigmatiques pour le profane, griffes à frapper, marteaux, emporte-pièces : il envoya le bonhomme à l'hôpital, la mâchoire en morceaux. L'affaire fit gloser, et causa grand bien à son commerce ; on vint des bourgades environnantes, depuis Montrabé et Balma, pour rencontrer celui qui avait séché le « collabo ». La plupart des visiteurs s'en repartaient avec un ceinturon, ou une selle, alors qu'ils portaient des bretelles et n'étaient jamais montés sur un cheval. Les affaires fonctionnaient bien, le ventre d'Angelina s'arrondissait. Quelques mois plus tard, le 6 avril 1951, naissait Marius Mario Reijik. Pour la seconde fois de sa vie, Gregor pleura.

demeurait aujourd'hui encore la plus efficace. Ces clients-là payaient très bien, mais Simon préférait les individus. Ces PDG pris au dépourvu, hommes politiques maladroits, artistes prisonniers de leurs addictions, simples étourdis, rattrapés par leurs «années folles». Simon avait loué ses services à des stars dont l'intimité avait été dérobée, à des footballeurs victimes de chantage. Il lui arrivait de travailler par conviction – il libéra une jeune avocate, ancienne escort et actrice porno, qui voyait ressurgir régulièrement ses ébats sur Youporn. Parfois, les crocs du passé s'étaient enfoncés trop profondément et son client finissait dévoré dans l'arène. Tout cela ne concernait plus Simon.

Les nouvelles technologies avaient crucifié la vie privée. L'intime agonisait en place publique. Tout était devenu montrable. Tout devait se savoir. Simon se contentait de rétablir un peu d'équité. Ce droit à l'oubli, suggéré par l'article 12 de la Déclaration universelle des droits de l'homme de 1948. Il offrait des zones d'ombre aux victimes et, si besoin, leur inventait un passé de rechange. Une autre vie possible. Il maquillait leur fuite. La vérité n'est souvent qu'une question d'éclairage. Simon ne blâmait personne. Lui n'était ni meilleur, ni pire que ses contemporains : il se contentait de jouer sa partition sur la grande harpe des émotions humaines. Il s'était adapté. Le petit-fils d'immigré polonais était parvenu aux premières loges de l'évolution. Il n'en tirait pas de fierté particulière, il ne laisserait pas son nom dans les manuels d'histoire, mais il participait, à sa façon, à la marche de la civilisation. D'aussi loin que l'humanité existe, tout le monde a quelque chose à se reprocher.

Le mois d'août écrasait Paris sous une semelle de goudron. Les façades transpiraient, et même dans les beaux quartiers, les habitants vivaient à demi nus. Voilà quatre ans que durait l'état d'urgence. L'alerte attentat demeurait à son niveau maximum. On parlait d'écoles maternelles, d'attaques chimiques, d'hôpitaux. Cela n'empêchait pas les moineaux de s'égosiller sur les branches, ni les lycéennes de pédaler en robe, dévoilant leurs jambes longues et fines, ni les hortensias d'exploser de rouge et d'ivoire, le long de l'avenue de Breteuil, que Simon remontait d'un pas souple. Il occupait un modeste bureau, au rez-de-chaussée d'un immeuble 1930, à la Villa Ségur, dont il appréciait la proximité avec les Invalides et la discrétion. Les résidents eux-mêmes se faufilaient en catimini, à la nuit tombée : un mois s'écoulait parfois sans que Simon rencontre âme qui vive. Aucune plaque ne précisait son occupation. Simon était d'une prudence vaticane. Aux lieux publics, cafés, parcs ou musées, il préférait l'obscurité et les arrière-cours. Simon Reijik ressemblait à tout le monde. C'était peut-être votre voisin.

Simon s'essuya le front, referma le dossier, le passa à la broyeuse. Une fois l'affaire classée, il l'oubliait instantanément. Sa mémoire, docile, ne conservait qu'une mosaïque de sensations. Des fragments de lucidité, que lui-même aurait été bien incapable d'assembler. L'existence exige des talents de contorsionniste. Cela ne fait pas forcément quelqu'un d'heureux, mais quelqu'un de vivant. Et dans son cas, de très riche. Simon s'enfonça dans son fauteuil, la caverne capitonnée où siégeait sa puissance. Le craquement du cuir appelait un cigare. Dix minutes plus tard, Simon se coulait dans le trafic. Il aimait le scooter, le vent dans le visage. La ville filait à toute allure : les porches et leurs concierges, un jardin, les vieux et leurs carlins. Le boulevard des Invalides, l'Assemblée nationale, silencieuse, à sa droite, vêtue de bleu blanc rouge. Des militaires en armes intimèrent à Simon de contourner les barrières de sécurité. L'état d'urgence avait été reconduit pour deux années supplémentaires. Depuis le double attentat du Louvre et de Notre-Dame, les gens sortaient moins. Les touristes se terraient au Texas, ou à Singapour. Quelques taxis vides rôdaient. Il traversa la Seine. Sur le sol gisaient des banderoles, il déchiffra : «Devenons ingouvernables». Au premier étage d'un immeuble, une jeune femme se démaquillait. De l'autre côté de la cloison, un homme alluma la télévision.

Simon ne goûtait pas l'ostentatoire. Il s'habillait simplement, ne possédait pas de voiture, et portait une montre Swatch. Il n'avait jamais trompé sa femme, et ne se connaissait qu'une excentricité : le cigare. Pas n'importe lequel : le Habanos de Montecristo, qu'il considérait comme le meilleur au monde (peut-être parce qu'il répugnait à s'offrir El Behike de Cohiba, qui coûtait une fortune, et dont l'intégralité de la production, quatre mille pièces, avait été roulée par Norma Fernandez, doyenne de l'usine d'El Laguito). Simon avait d'abord élu le Montecristo pour son nom, hérité de l'ouvrage d'Alexandre Dumas, qu'on lisait aux rouleurs pour les distraire – l'homme, esclave de son passé. Il avait appris à l'aimer.

Il se gara devant la Casa del Habano à Saint-Germain-des-Prés. Serra la main de Raúl, le vieux Cubain, qui prétendait avoir été l'ami de Compay Segundo. Simon avait vérifié : impossible de le confirmer. L'amitié que Raúl portait à Compay semblait si sincère que Simon avait glissé dans son passé une photo en noir et blanc, sur laquelle on apercevait Segundo, accompagné d'amis musiciens, dans les années 1950. Il s'était contenté d'ajouter le nom de Raúl à la ribambelle de saltimbanques. Le cliché avait circulé sur Internet, et Raúl l'avait fièrement accroché au-dessus de la caisse. Depuis, il ne tarissait pas d'anecdotes sur son ami d'enfance. «Tu sais qu'à cinq ans, Compay allumait les cigares de sa grand-mère ? Tu aurais dû nous voir jouer aux toreros avec les voitures, dans les rues de La Havane ! » Son mensonge était devenu authentique. Quand il apprit la mort de Compay, Raúl ferma sa boutique, et prit un aller-retour pour Cuba, pour assister à son enterrement. Au fond, qui se soucie de la vérité ?

Laura le rappela à l'instant où il quittait la boutique. Sa voix était fraîche, elle y avait glissé un sourire.

— Tu te souviens qu'on passe le week-end chez Eriko et Bastien ?

Simon revint vers Raúl et, d'un signe de tête, désigna

31

un barreau de chaise à bague dorée pour Bastien, un cigare qui fait important. La clochette de la boutique tinta. Un homme parut.

— Une certaine Sarah a appelé sur le fixe, poursuivit Laura. Ça avait l'air urgent.

— Sarah comment?

— Je ne sais pas. Elle ne s'attendait pas à tomber sur moi. Elle n'a pas dit non plus de quoi il s'agissait.

Laura reprit doucement:

— J'ai son numéro. Tu n'auras qu'à rappeler. Tu achètes une baguette à la bonne boulangerie?

Simon salua Raúl. «Hasta luego amigo», lui répondit ce dernier, en levant les yeux au ciel. L'autre client semblait décidé à humer les différentes variétés de tabac de la boutique. Simon faillit heurter l'élégante canne en bois qu'il avait posée contre le comptoir. Il grimpa sur son scooter. Une cliente n'appellerait jamais chez lui. Quelqu'un qu'il avait connu – et oublié? Sarah. Ce prénom ne lui évoquait rien.

Assise en tailleur sur le canapé, Laura grignotait une nectarine au-dessus d'une coupelle en porcelaine. Avec application, elle entreprit de suçoter le noyau. Laura Marchese était professeur de lettres modernes dans un collège de banlieue, à dangerosité moyenne (il y avait eu quelques tentatives d'agression à l'arme blanche), dont il ignorait le nom, Jean Jaurès, Jules Ferry peut-être. Il avait des excuses: Laura avait été mutée l'année dernière. Simon n'aimait pas qu'elle travaille si loin. Il gagnait

32

suffisamment pour qu'elle puisse s'abstenir de se lever tous les matins, mais Laura paraissait heureuse d'éduquer ces sauvageons, qui passaient leurs récréations à se taper dessus et le reste du temps à bouffer leurs crottes de nez en pouffant. Il ne comprenait pas sa dévotion éducative – sans doute quelque tardive résurgence de son éducation catholique (elle avait été élevée dans une famille italienne de Tourcoing, mais que diable des Transalpins étaient-ils venus chercher si loin ?). Les collégiens, ces perfectionnistes de la négligence, tenaient plus du singe que de l'homo sapiens. Laura se cala contre un coussin, un paquet de copies sur les genoux. Simon avait appris à reconnaître l'écriture appliquée des gamins, avec des boucles larges comme des lassos. Elle se mordillait la lèvre inférieure. Il admira ses yeux ovales et clairs, ses pommettes saillantes. Sa beauté intelligente. Cette femme paraissait immunisée contre la vulgarité.

Elle était apparue un matin, cheveux en bataille, la *girl next door* des séries américaines. Presque un cliché, mais Simon n'avait pas la télévision. Bonnie, son petit chat persan, s'était enfui. L'avait-il aperçu dans l'escalier ? Simon dit « non, désolé », et referma la porte sur son étonnement. Simon ne récoltait pas les meilleurs suffrages dans son immeuble. Il saluait du bout des yeux, refusait de prendre un ascenseur occupé, et ne participait jamais à la fête des voisins – de toute façon, il n'aimait pas les quiches. Il se souciait peu qu'on puisse le trouver sympathique. Les gens bien élevés finissent souvent par assassiner leurs femmes.

Ce jour-là, Simon regretta sa précipitation. Après tout, lui aussi avait eu des chats, avec qui il avait noué des relations cordiales. Aussi, quand il croisa la jeune femme, quelques jours plus tard, il s'enquit du sort de Bonnie – toujours portée disparue. Ils se revirent, plusieurs fois. Laura était une personne sensible, qui prenait le temps de réfléchir, avant de formuler oralement sa pensée. Elle parlait beaucoup d'elle-même, et cela lui plut. Simon lui offrit un chaton ébouriffé, qu'il surnomma «Clyde». Ce soir-là, ils firent l'amour, parce que c'est ce que les gens font.

Laura aimait Mozart et Joan Baez, Jean Echenoz, l'odeur de l'essence, le foot, les reportages animaliers, et le cinéma de Truffaut. Laura n'aimait pas l'ail ni Jean-Luc Godard, les tapisseries à motifs, la grossièreté, ceux qui se répandent en «du coup». Elle votait à gauche, par habitude. Trois grains de beauté décoraient son épaule droite, et disparaissaient l'été, au bronzage. Laura se réveillait au milieu de la nuit, haletante, plus dure qu'un bloc de granit. Elle n'était plus habituée à vivre les volets ouverts, et le moindre bruit nocturne (crissement de pneus, un rire sous la fenêtre) la figeait d'angoisse. Simon lui laissa le temps, et une lampe de chevet allumée. Laura avait perdu son insouciance. Sa jeunesse lui avait été dérobée par un homme, son premier flirt, qui sous prétexte de l'aimer à la folie, l'avait poursuivie de ses obsessions. Simon fureta dans le passé de son harceleur : profil typique de ceux qu'on appelle «pervers narcissiques», parce que l'époque aime les noms scientifiques. Le pervers en question était chef d'une entreprise de conseil digital florissante, dont il commença par falsifier les comptes. Un vieux beau plein de lui-même, mèche poivre et sel, dents blanches et parfum bon marché. Simon lui inventa, pour le plaisir, une histoire torride avec une stagiaire, qui n'était pas majeure. On retrouva ses coordonnées dans le mobile de plusieurs dealers. Six mois plus tard, le comité exécutif de sa boîte se trouvait un nouveau directeur. Depuis leur rencontre, Laura avait recommencé à se maquiller.

Laura avait trente-cinq ans et était pressée ; ils se marièrent, quelque part en Normandie, entre deux nuages. Lui qui s'était nourri aux fantasmes d'une violoniste russe, concertiste au Carnegie Hall, avait donc épousé un « simple » professeur de lettres, en toute discrétion (heureuse coïncidence, Laura avait une famille très courte : une vieille mère rébarbative, qui parlait trop, un beau-père sous antidépresseurs qui ne parlait pas, et une demi-sœur, vivant à Toronto, qu'elle ne voyait jamais). Voilà cinq ans qu'ils partageaient le même appartement, cent vingt mètres carrés sur deux étages, avenue Ledru-Rollin, avec Clyde and Bonnie 2. Des amis de Laura s'invitaient de temps à autre, parlaient avec de grands gestes de choses insignifiantes, cela ne dérangeait pas Simon. Il lançait parfois une remarque qui rejoignait tranquillement la conversation, sans jamais en modifier le cours.

Simon était entré en couple par hasard. Il chérissait Laura, et plus encore leur entente, ce juste équilibre de dissimulations et d'attentions. Il évitait de lui livrer les tourments de son âme, mais l'invitait à dîner sans raison, parce qu'il avait *sincèrement* envie de lui faire plaisir. Leur couple lui offrait l'impunité. Le célibataire mutique avait cédé la place à un homme déterminé, habité par son travail, et résolu à offrir à sa famille ce qu'il y avait de mieux. Il commença à sourire dans l'escalier, on lui rendit son sourire. Laura était son passeport social. Simon n'avait plus besoin d'imiter ses semblables : il était devenu l'un d'eux.

Parfois, pourtant, quand elle caressait la cicatrice qui courait sur son torse, il avait envie de lui avouer qu'il n'avait pas toujours été ce Simon-là. Dans ces moments, Laura déposait ses lèvres sur son front. Elle le connaissait si peu, et c'était mieux ainsi. En y réfléchissant bien, ils auraient pu être parfaitement heureux.

Simon jeta un coup d'œil à la petite fiole remplie de sable qui prenait la poussière sur une étagère. Elle voisinait avec un ourson en peluche élimé, dont il pinça l'oreille entre deux doigts. Absorbé par ses pensées, il composa le numéro de la mystérieuse Sarah.

Chapitre 3

Ils avaient quitté Paris autour de neuf heures du matin.
Le trafic était fluide. France Inter, en grève, diffusait des
tubes des sixties. Laura conduisait, Simon essayait de ne
penser à rien. Son univers mental s'organisait en compar-
timents. Les événements de la journée rejoignaient natu-
rellement la case qui leur avait été assignée. Quand Simon
se penchait à l'intérieur de lui-même, il aimait constater
le parfait ordonnancement de sa raison. Une tension, ce
matin, étreignait sa gorge. Le coup de fil de la veille avait
provoqué une oscillation imperceptible. Le bourdonnement d'un moustique dans la nuit silencieuse. Il n'aurait
pas dû rappeler Sarah. Il aurait préféré ne pas savoir. Un
œil, au fond de lui, s'était ouvert, et l'observait.

Il déplaça sa ceinture, il étouffait toujours. Simon fit
passer un comprimé de codéine avec une mignonnette
de calva, trouvée dans la boîte à gants. Le goudron filait
sous les pneus de la Golf. La campagne était grasse, luxu-
riante. Il pleuvait. Un panneau indiqua Montfarville,

Laura tourna. Des arbres touffus étrécissaient la chaussée. Simon avait soif. On a oublié de prendre de l'eau, dit-il. Prépare ton sourire au lieu de râler, répondit Laura, nous arrivons. Simon haussa les épaules. Après tout, Bastien et Eriko étaient d'abord les amis de sa femme. Bastien se précipita à leur rencontre. Laura l'avait rencontré en fac de lettres. Ils étaient brièvement sortis ensemble. Bastien était artiste plasticien. Un jour, il avait traversé à pied le boulevard de Port-Royal au ralenti, pendant 3 heures, 45 minutes et 52 secondes, filmé par une caméra DV. Sa performance avait été diffusée en boucle dans un centre d'art contemporain du Marais, à l'occasion d'une Nuit Blanche. Un temps, il avait été tenté par la musique proto-tonale. En posant le pied sur le gravier blanc, sous les ricanements hystériques des goélands, Simon sut qu'il n'avait aucune envie de se trouver ici.

Bastien entreprit la visite des lieux. Un piano ornait la salle du rez-de-chaussée, pavée de tomettes. Au-dessus, une peinture gigantesque occupait une partie du mur : sur une table mise, crevettes et coquillages côtoyaient leur fin imminente ; un énorme bol de mayonnaise. Des coussins avaient été disposés autour de la cheminée. Les murs étaient couverts de chaux blanche. Bastien avait hérité d'un corps de ferme normande, cernée d'un haut mur de pierre, pour se protéger du vent, des embruns et des mauvais esprits. La bâtisse était entourée de champs de choux. Une grange attenante abritait tourterelles et chauves-souris. Elle sentait le foin coupé et la cendre.

Simon reconnut ces odeurs. Il se souvenait de la maison, qui s'ouvrait sur une allée de peupliers. Il se rappela aussi ses promenades à vélo, et le soleil qui roulait sur les collines. Un soir d'orage, il avait craché des insanités au ciel, et espéré que la foudre le traverse, mais les dieux nourrissaient d'autres projets pour lui.

Eriko revint du village à bicyclette, le panier chargé de victuailles. La gueule dentée d'une dorade dépassait d'un sac en fibres naturelles. Elle portait ce matin-là une robe échancrée de coton blanc et paraissait ravie de les revoir. Japonaise, née à Kyoto, longtemps auditrice chez L'Oréal, elle venait d'être débauchée par Google. Bastien passa son bras autour de sa taille, déposa un baiser sur sa joue. Bastien et Eriko étaient jeunes, et beaux bien sûr. Oui, racontaient-ils, un chandail jeté autour du cou, une autre vie est possible, loin des fureurs du monde. «Nous sommes en accord avec nous-mêmes… Il y a quelque chose, ici.» Simon savait ce qu'il en était : les labours qui cassent les reins, la rudesse des hivers, les doigts crevassés, la petite misère, dont on s'accommode. La campagne, on y vivait durement, on y mourait tôt, et toujours seul. Ce n'était pas photogénique, un vieux paysan. Il s'en irait dans la chambre où il était né. Si les cieux étaient cléments, le curé aurait le temps de passer, peut-être même qu'une voisine fermerait ses paupières. On l'enterrerait au cimetière communal, et, ce jour-là, seuls gémiraient son vieil âne et son chien.

Eriko travaillait désormais entre Paris et Mountain View, en Californie. Bastien s'était installé à Montfarville, en résidence. Il nourrissait un projet artistique pour Barfleur. Une exposition autour du pain, à laquelle il convierait les sans-abri des communes environnantes et les médias locaux. Des miches de tout calibre, exposées ou encadrées, que les participants seraient invités à croquer, « une expo temporaire, ouverte à tous, même aux gluten free ». Il s'était attiré la sympathie de quelques boulangers. Restait à trouver le public. Le matin, il partait à la recherche des sans-abri de Barfleur, et rentrait bredouille. Barfleur, à son grand désarroi, était envahie par les camping-cars néerlandais. Bastien refusait toute concession à la société du spectacle, puisque de spectacle, il n'en donnait jamais, et se tenait à l'écart de la société. C'était un garçon assez brillant, drôle parfois : « Être touriste quelque part… Ah non… Quelle laideur… Ce serait au-dessus de mes forces. » Il était donc devenu le touriste de son petit territoire intérieur, qu'il connaissait par cœur, et dont il ne se lassait jamais.

Tandis qu'Eriko et Bastien vaquaient à leurs obligations d'hôtes, Simon laissa courir ses doigts sur le clavier du piano, souples, toujours souples. Il approcha le siège pour s'asseoir.

— C'est Tchaïkovski, n'est-ce pas ?

Eriko se tenait derrière lui, il ne l'avait pas entendue se glisser dans la pièce.

— Oui, le *Concerto pour piano n° 1*.

— Alors, tu joues.

Simon suspendit sa main.

— Deux ou trois morceaux, à peine. Un souvenir d'enfance, comme ces poèmes qu'on t'oblige à apprendre, en classe.

Eriko hocha doucement la tête. Quelque chose chez elle attirait Simon. Il avait longtemps cherché avant d'identifier l'objet de son trouble : l'exceptionnelle qualité de son silence. À cet instant jaillit la silhouette précipitée de Bastien : « Ah, tu es là ? Eriko, ça sent bizarre à la cuisine ! » Simon referma l'instrument et les suivit.

Ils déjeunèrent sur la terrasse. Gyozas grillés, sashimi de thon rouge et dorade, shabu-shabu de bœuf waggyu : Eriko s'était surpassée. La soupe miso serait servie en fin de repas. Simon entrevoyait le bénéfice que les humains pouvaient gagner à se retrouver ensemble. Les solitudes se serrent les coudes. Bastien, échauffé par le vin, assassinait joyeusement le silence. Il prétendait que Google, archétype du Web froid, était apollinien, tourné vers la recherche d'informations, ordonnant les données infinies de la Toile, et Facebook, dionysiaque, voyeur et vicieux, égocentrique et addictif. Le combat à mort que se livraient les deux géants serait remporté par celui qui parviendrait à unir Apollon, dieu des arts et de la lumière, à Dionysos, saint patron de la vigne et des bordels.

— Tu ne bois pas, Eriko ?

Simon partageait avec son hôtesse le goût pour le saké et les alcools forts. Ils lui avaient d'ailleurs offert un excellent malt japonais (un Nikka de vingt et un ans). Eriko sirotait une eau gazeuse citronnée.

— On comptait vous en parler au dîner…, répondit Bastien.

Inutile, tout était dit. Il y eut les félicitations d'usage, suivies de l'examen immédiat, sous tous les points cardinaux, de la planète colonisée. Eriko répondait avec prudence, Bastien lui flattait le dos. Eriko aurait voulu connaître le sexe, lui préférait avoir la surprise et « s'en remettre aux lois de la nature ». Ils avaient donc décidé de le demander lors de la prochaine échographie, mais de ne pas le révéler à leurs amis. Simon souriait machinalement. Pendant tout l'échange, Laura avait évité son regard. Eriko servit le café, dans lequel Simon noya un Aspégic. Des guêpes virevoltaient. À moins d'un mètre de la table, une bouche obscure abritait le foyer bourdonnant. Une guêpe le frôla. Simon recula, les pieds de la chaise crissèrent.

— Simon a horreur des guêpes, commenta Laura, dans un demi-sourire.

— N'y pense pas, elles te laisseront tranquille, lui conseilla Bastien. Elles sentent quand tu as peur.

Cinq ou six insectes gravitaient maintenant autour de lui. Simon alluma une Camel.

— C'était l'été, à la campagne. Ma mère mangeait une reine-claude quand une guêpe est venue se poser au coin de sa paupière – juste ici (Simon désigna l'endroit de son doigt). Tout le monde lui a conseillé de ne pas bouger. Cinq minutes après, son œil ressemblait à un œuf de pigeon.

Laura se tourna vers lui. Simon ne parlait *jamais* de sa mère. Une guêpe jaune fluo progressait dans sa direction, sur la nappe. Simon avança sa tasse : on entendit craquer sous la porcelaine. Du bout des ongles, Eriko décolla l'insecte sectionné, et le jeta dans l'herbe. « Qui veut faire une promenade au bord de la mer ? » demanda-t-elle gaiement. On ne refuse rien à une femme enceinte.

Quoi de plus ennuyeux qu'une balade sur la grève ? Le vent souffle, s'engouffre dans vos pensées, on chemine les mains menottées au dos, en réfléchissant aux questions primordiales qui hantent l'humanité ; le sable au fond des chaussures, ce courrier de réclamation qui traîne sur le bureau, ou ce foutu syndic qui ne répond jamais au téléphone. Par chance, il ne faisait pas beau. Le temps maussade rend la plage moins morne. Cette étendue grise en rappelait une autre à Simon. Ses parents l'avaient amené sur la Côte atlantique, pour fêter la « grande nouvelle ». Le ciel était ciment, ils étaient si heureux. Ils avançaient, enlacés, quelques pas devant lui. Parfois, son père glissait ses lèvres dans le cou de sa mère, qui s'en offusquait pour de faux. Avaient-ils l'air aussi mièvres, en apprenant sa venue au monde ? Rien d'autre à signaler que cette dune imbécile et deux blockhaus à demi ensablés. Il avait eu beau enfouir ses mains au fond de son anorak, il ne s'était jamais senti aussi seul. « Je vous retrouve à la maison », lança Simon à Laura, et il tourna les talons sans attendre de réponse. L'écume, le sable, le vent. Le destin de ces éléments était de s'échapper. Disparaître *pour de bon*, quelle chance.

43

La grossesse contamina le dîner. Eriko dévora une famille d'huîtres « parce que l'iode est bénéfique aux femmes enceintes », ne toucha pas à la dorade grillée, pourtant excellente, et la petite assemblée s'inquiéta de la tarte aux pommes, flambée au calvados. Simon n'écoutait plus. Il avait reconnu les premiers signes. Bientôt la douleur l'engloutirait. Il connaissait le protocole. Les maux de tête s'étaient évanouis, au fil du temps, puis l'avaient retrouvé. « Je vais prendre une douche », s'excusa-t-il. « À minuit ? » demanda Bastien. Seul dans sa chambre, Simon avala deux Aspégic, se laissa tomber au fond du lit. Ne penser à rien. Ne pas se souvenir. Il percevait des accords de guitare, les filles chantaient. Une mélodie s'infiltrait en lui. Celle d'un dessin animé. Il commença à claquer des dents. Des jouets dansaient. Leurs faces hideuses, en tissu, rafistolées, entonnaient un refrain américain. Il se précipita dans les toilettes, quand la porte de la chambre s'ouvrit.

— Je suis si heureuse pour Eriko.

Laura avait bu, elle voulait discuter. À cet instant précis, tout ce qui importait à Simon était de ne pas passer par-dessus bord. Le lit tanguait dangereusement. Bastien et Eriko avaient investi dans un matelas à eau. Simon chercha à répondre, mais sa bouche était encombrée d'agrafes. Alors il laissa Laura parler, longtemps, et quand elle eut terminé, il dit :

— Je pars demain, à la première heure.

Sa voix lui évoqua le son d'une bille, au fond d'une boîte en fer-blanc.

Chapitre 4

Ils croisèrent la croupe du cheval de Napoléon, la grosse statue de bronze qui rêve d'envahir l'horizon. Le granit de la basilique Sainte-Trinité était charbonneux, et dans la rade où l'Empereur bâtit sa pyramide maritime, les chalutiers ressemblaient à des châteaux flottants. Laura déposa Simon devant la gare de Cherbourg, à sept heures du matin.

— Tu ne veux pas me parler de ce coup de fil?

— C'est sans importance. Vraiment.

Laura avait les yeux mâchés de sommeil.

— On aurait pu annuler ce week-end.

Il l'embrassa sur la joue.

— Je t'appelle ce soir, profite de tes amis.

Laura le suivit du regard jusqu'à ce qu'il disparaisse dans le hall. Elle demeura dix minutes, sur le parking, avant de remettre le contact. La pluie ridait la vitre du train régional. La campagne normande défilait, des pommiers, quelques vaches, une ferme parfois. Partout des

45

champs. C'est entêtant un labour. Simon n'aimait la pluie qu'à Paris. Elle vernissait le bitume et les toits. Que fait-on d'un jour pluvieux à la campagne ? Il n'y a que les limaces qui en profitent. Il arriva à 11 h 09 en gare Saint-Lazare, d'où il prit un taxi pour Montparnasse, avala la moitié d'un sandwich « paysan » et deux cafés en attendant le train de 12 h 25. Il respirait un peu mieux. Simon était parvenu à obtenir une place en première classe, dans un compartiment à quatre. Siège 63, contre la vitre. Le wagon était clairsemé. Face à lui, quelqu'un avait disposé, en éventail, une dizaine de quotidiens et magazines. L'islam. Les migrants. L'extrême droite. La destruction de l'école de la République. La France étalait sa joie de vivre.

Les immeubles gris, les entrepôts, les poteaux électriques commencèrent à reculer. Le paysage accéléra. La ville disparut. Le toit d'une chaumière, une gare abandonnée, un troupeau. Le train fonçait à 250 kilomètres heure, museau au vent. Au loin, les pales argentées des éoliennes découpaient le ciel. Simon ne connaissait pas Sarah. Elle n'apparaissait nulle part sur la pellicule de ses souvenirs, pas même au second plan. Sarah avait une voix légèrement cassée. Difficile de lui donner un âge, la petite trentaine, sans doute. Une recherche rapide, à partir de ses coordonnées téléphoniques, ne lui avait rien appris, sinon le nom de sa SARL (Abeille) et un numéro de fax. Pas la moindre mention sur les réseaux sociaux, une photo trouble sur le site copainsdavant ; en somme, Sarah n'existait pas.

Le train mettait un peu plus de quatre heures pour atteindre sa destination. Au cours des vingt dernières années, les distances ferroviaires avaient été réduites, exceptée celle-ci. La SNCF avait préservé, sans le vouloir, une certaine idée du voyage, réalisant ce miracle temporel : Istanbul se tenait plus près de Paris que Toulouse. Voilà vingt ans qu'il était parti. À son arrivée, Simon aurait dix-neuf ans. Son estomac se noua.

Antoine est très malade, avait dit Sarah. Tumeur. La première fois que Simon avait entendu ce mot, il avait compris « tu meurs », et il ne s'était pas trompé. C'était en CM2. Leur maîtresse s'appelait madame Lorca. Son fils, qui aurait déjà dû être en sixième, se tenait au fond de la classe. Les autres le surnommaient « Caillou », parce qu'il n'avait pas un poil sur le crâne. Parfois, Caillou partait deux ou trois jours en traitement à Purpan, avant de reprendre sa place, près du radiateur, sous la mappemonde plastifiée. Madame Lorca l'élevait seule. Simon aimait bien Caillou. Comme lui, il adorait l'histoire, surtout Clovis et le vase de Soissons. Un jour, madame Lorca eut vent d'un traitement expérimental, élaboré par une équipe de chercheurs de San Francisco. Elle en avait parlé à l'un de ses collègues qui avait vendu la mèche, et toute l'école, parents et enseignants, s'était mobilisée pour leur offrir un billet transatlantique. Impliquée dans la collecte, la mère de Simon relançait les retardataires. Quand la somme avait finalement été réunie, Caillou était devenu trop faible pour voyager. Il mourut une dizaine de jours plus tard. Madame Lorca avait continué à donner des cours. Parfois, au détour d'une phrase, ses yeux rougissaient, excusez-moi un instant, le temps qu'elle s'éclaircisse la voix.

L'individu qui voyageait face à lui avait étendu ses jambes. Simon chercha une position confortable sans y parvenir. Il ne supportait pas les contacts physiques avec des inconnus. Le métro parisien était devenu une hantise. Ces corps, leurs haleines agglutinées, les coups de fil, tout cela lui était intolérable. Un jour, dans la rame, une mère de famille avait entrepris de couper les ongles de ses enfants et les petits bouts de corne sautaient sur lui comme des insectes. Il s'agissait moins de phobie sociale, que de la nécessité de préserver son intégrité physique : l'humanité s'infiltrait en lui, comme une eau usée. En baissant les yeux, il se rendit compte que le pied qui le gênait était une canne de bois. Son propriétaire paraissait encore jeune. Il s'attarda sur l'individu : chemise en lin, pantalon de velours, bottines vernies. Un parfum de tabac à pipe imprégnait ses vêtements. Son visage était dissimulé par le numéro «Spécial Dépression» de *Psychologie Magazine*, illustré par la photo d'un homme se tenant la tête entre les mains, façon pub pour l'aspirine – cela aurait aussi bien pu être un dossier sur l'infidélité, les impôts ou la maladie de Parkinson. L'homme interrompit sa lecture pour lui adresser un sourire chaleureux. Son visage était doux, régulier, presque enfantin. Quelque chose, au fond de ses pupilles immenses, troubla Simon. Il lui semblait avoir déjà rencontré ces yeux. Il n'avait guère plus de vingt ans. Le jeune homme engagea la conversation. Artiste peintre, il descendait dans le Sud afin d'immortaliser un sujet précis, «un exercice de patience : personne ne sait à quel moment il se révélera. Tenez, à l'heure où nous parlons, je le piste». Une espèce rare ? proposa Simon. Il rit, et son rire était tendre et plaisant : «C'est un peu cela, oui.» «Contrôle des titres de transport!» L'employé de la SNCF, trapu et mal rasé, se planta devant le fauteuil de Simon, casquette sous le bras. Le contrôleur lui rendit son billet, sans prêter attention à son vis-à-vis.

Simon ouvrit la petite trousse en cuir qui ne le quittait jamais et fit glisser deux gélules de fluoxétine au fond de sa gorge. Il aimait les médicaments. Une addiction dangereuse, pour Laura. Une mauvaise habitude, confessait-il parfois, mais comment ne pas être fasciné par tant de science réunie en une si modeste capsule ? Simon avalait des pilules contre les migraines, les insomnies, le manque d'appétit, les moments d'angoisse, quand l'enfance grattait à la porte de la cave. Il y avait les sécables, les dispensables, les dispersibles, les comprimés à libération prolongée, les satinés qui glissent, les effervescents, les gélules molles, les granules à laisser fondre sous la langue. La chimie avait apporté une réponse particulière à chaque angoisse contemporaine, sans négliger le souci esthétique. C'était admirable. La pharmacie était l'alphabet du monde moderne. Simon prenait du Prozac, du Déroxat, du Zoloft, du Seropram, et parfois même du Nefazodone, qu'il faisait venir des États-Unis. La morphine demeurait de loin sa préférée. C'était la plus tendre, la plus maternelle des drogues. Sa petite déesse personnelle. La seule qui parvenait à le consoler de lui-même. Un petit fragment d'éternité. Bientôt, la réalité ne le concernerait plus. Simon décolla son avant-bras de l'accoudoir caoutchouteux, s'étira et se leva. Deux ados montaient la garde autour des toilettes. Une beurette au teint orangé, écouteurs sur les oreilles, engloutissait des Kinder Bueno. Assis par terre, un gamin agité de tics trucidait des cohortes de zombies. Simon enjamba son corps, et parvint à se glisser à l'intérieur d'un cube plutôt vaste, accessible aux handicapés. Il se frotta les mains, se brossa les ongles, longuement. La SNCF a bien des défauts, mais il convient de lui reconnaître un talent incontestable pour illuminer ses cabines. Quiconque aura eu l'occasion d'étudier son visage à l'aune d'un de ses miroirs disposera d'une idée assez précise de son masque mortuaire. Simon Reijik s'apprêtait à fêter ses trente-neuf ans. Une cicatrice ancienne traversait son front – bientôt, elle se perdrait parmi ses rides. Les veines qui irriguaient son crâne, regroupées sur sa tempe droite, dessinaient un nœud compliqué. Simon n'avait jamais été beau. Il n'avait jamais connu ce moment de grâce enfantine. Avec le temps, il avait appris à accepter le manque d'harmonie de ses traits, mieux encore, il y avait vu une chance. Son visage, découpé à la serpe, aux maxillaires trop prononcés, était son terrain de jeu, un masque. Les humeurs le traversaient. Simon veillait à se tenir à une distance raisonnable de lui-même. Il serrait des mains, souriait parfois, mais demeurait indifférent. Il s'approcha du miroir, murmura : « Salut Antoine, ça fait un bail. » Il aurait dû acheter un cadeau, n'importe quoi.

Le train arriva avec six minutes d'avance. Le soleil se tenait à une verticale parfaite de la gare Matabiau. Sur le canal du Midi, les péniches clapotaient mollement. Un rayon s'était faufilé entre les branchages des platanes, dévoilant un petit carré émeraude, que contournait prudemment une famille de canards. Autour, cannettes de bière, emballages plastique et papiers de kébab affleuraient à la surface. L'eau verte de Claude Nougaro tirait sur le gris filandreux. Les abords de la gare avaient été abandonnés aux mendiants, sniffeurs de colle et prophètes hébétés ; les prostituées se tenaient en amont, maquillées pour la kermesse. Les princes, ici, arboraient des crêtes écarlates en guise de couronnes, et des cadenas pour bijoux. Dans un ultime élan tragique, les derniers punks à chiens perpétuaient l'esprit rock des années 1980. Simon revoyait les faux loubards des années lycée qui sculptaient « Bérurier noir » à l'aide de compas dans le bois des bureaux cirés, et attendaient leur maman le soir, à une dizaine de mètres des portes de l'établissement. Saint-Sernin en regorgeait : l'un de ces types efflanqués était peut-être un ancien camarade. Tiens, justement, on s'approche.

— T'as pas une clope ?

Simon sonda son veston, par politesse. Il maîtrisait à

la perfection le «désolé» du regard, à la fois préoccupé et indifférent, gymnastique faciale complexe, mais indispensable tant Simon ne se sentait à l'abri nulle part. La sollicitation commençait sur le seuil de son immeuble, se poursuivait, en musique, dans le métro, jusqu'aux caisses de supermarché, où de jeunes gens concernés lui extorquaient de la générosité – ah, combien de paquets de nouilles avait-il ajoutés à son chariot pour s'acquitter de l'impôt sur la tranquillité! Il tira de sa poche intérieure le cigare qu'il avait oublié d'offrir à Bastien et le tendit au type. Le punk, perfecto sans manches sur côtes saillantes, observa le barreau avec circonspection, puis le renifla, manœuvre rendue délicate par l'anneau taurin qui décorait son nez.

— Et un euro? Pour un café.

Simon s'était avancé. Il avait reconnu le bâtiment, de l'autre côté du canal, cette fenêtre courbe, là-haut, à peine plus large qu'un vasistas. Il avait seize ans, et il s'était fait dépuceler par une grande black avec des seins en obus à vous donner des envies de bombarder Dresde. Antoine s'était tenu à l'écart. «Tu peux y aller, elle est propre», l'avait rassuré Simon, mais il n'en menait pas large quand il avait dû montrer son zizi à une inconnue de l'âge de sa mère, qui s'était mise à quatre pattes sur le lit – «t'as un quart d'heure». Antoine avait fini par monter. Il était redescendu aussi vite. L'hôtel de charme était devenu un hôtel de chaîne, mais les fenêtres n'oublient rien.

Dix-huit heures. Simon loua une Clio derrière la gare,

tourna boulevard de Marengo, dépassa le dancing de la Roseraie, pour rejoindre la rocade. À sa droite, Auchan (feu Mammouth), Laser Quest, Quick, et Cultura Balma se disputaient les faveurs des actifs périurbains, pressés d'exercer leur droit au week-end et à l'*entertainment*. Du haut de leurs talus artificiels, des bataillons d'arbustes au garde-à-vous contemplaient le flux ininterrompu de véhicules. Aucun ne dépassait 90 kilomètres à l'heure.

Quarante minutes plus tard, Simon se garait sur un parking en terre, où des étals proposaient des « fruits et légumes direct producteurs ». Il acheta un petit cageot de pommes et de nectarines. Une brise balaya sous son nez des parfums de purin et de foin humide. À quelques mètres, un tracteur labourait le silence. Sentant monter une migraine, Simon se réfugia dans la voiture, décrocha le sapin arôme « sève de pin », gracieusement offert par la société de location, le jeta par la fenêtre et porta son regard vers le petit bourg.

Depuis son invasion par les Celtes au ve siècle avant Jésus-Christ, Verfeil avait subi les hoquets de son temps, sans souffrir de ces grands massacres qui scellent le destin des territoires. Le village avait connu quelques adultères, des bastons d'après match, des tirs à la carabine, une manifestation contre l'installation de l'usine de goudron qui avait failli mal tourner. Le quotidien d'une bourgade de province – tout juste de quoi ne pas mourir d'ennui. Le village avait récemment échappé à la délocalisation des populations difficiles des cités du Mirail, de Bagatelle, ou de la Faourette, que les municipalités toulousaines successives, en panne d'inspiration, cherchaient à greffer aux communes environnantes. La proximité de Toulouse l'avait protégé. C'était peut-être aussi ce qui causerait sa perte. Saint-Jean, L'Union, Balma, Montrabé étaient devenus des satellites pavillonnaires. Verfeil avait mieux résisté. La population originelle, vieillissante, d'artisans et d'agriculteurs, ne s'était pas totalement effacée au profit des ingénieurs, venus travailler dans l'Aerospace Valley de Toulouse-Blagnac. Simon avait assisté à leur arrivée. Verfeil s'attendait à les voir débarquer comme des cowboys dans une ville du Far-West, nimbés d'un nuage de poussière, sur un chant d'harmonica. Les envahisseurs étaient venus, avec leurs petites familles, un par un, ils demandaient leur chemin, avec des politesses autour. Ils portaient des chemisettes à manches courtes, de grosses sacoches d'ordinateur et roulaient en Renault Espace. Le dimanche, ils amenaient leurs fistons au foot. Parfois, ils partaient en balade avec un copain, «fou de vélo», comme eux.

Simon chercha son téléphone jusqu'à ce qu'il se souvienne l'avoir oublié chez Bastien, sur la table de chevet. Cela ne lui ressemblait pas. Il inspira profondément et attendit la nuit. Pas la première, la romantique, l'obscurité tamisée des réverbères, mais la noirceur épaisse, confidente des assassins et des bannis qui n'existe plus qu'en lointaine périphérie de la civilisation. Un coq, en plein décalage horaire, chanta à trois reprises.

Vingt-trois heures sonnaient à l'église lorsque Simon remit le contact. Ses phares balayèrent le panneau d'accueil : «Verfeil, ses murailles, artisans et commerçants» lui souhaitaient la bienvenue. Les lampadaires répandaient une lueur blême sur l'avenue Grand-Faubourg, déserte. Simon retenait sa respiration, les muscles bandés sur le volant.

Il gara sa voiture au pied du château, dans le prolongement des douves. Un chat sauta sur le capot. Le félin le fixa longuement de ses yeux incandescents, poursuivit sa chasse. Sarah lui avait donné l'adresse d'Antoine. On ne débarque pas à cette heure chez les gens. Simon avala un somnifère et inclina le fauteuil. Caillou s'appelait César. C'était bien ça, César. Son histoire avait connu un ultime rebondissement. Quelques parents d'élèves avait pris la plume pour demander le remboursement de leurs dons. Caillou était mort, c'était triste, mais ce n'était pas une raison pour que sa mère se paye un voyage gratis aux États-Unis.

Chapitre 5

Il se tenait de l'autre côté du portail, raide et silencieux, dans son jean et sa chemisette rayée, boutonnée sous le menton. Il observait les enfants jouer. Son regard ne traduisait aucune envie particulière de les rejoindre, de la curiosité plutôt. Il scrutait leurs gestes, épiait leurs rires. L'un des gamins s'est avancé et lui a demandé son prénom. Il a fait un pas en arrière et s'est éloigné. Le lendemain, à la même heure, il était là. Cette phase d'observation a duré une semaine. Entre-temps, on a appris qu'une famille venait de s'installer chemin des Garrigues, au lotissement du Soleil. Puis, un jour, il a passé le portail et s'est avancé dans l'allée. Les autres gosses ont cessé leurs jeux. Il s'est assis, et a commencé à construire une tour, avec des Duplo éparpillés dans le jardin. Ce n'était pas de son âge, certains mômes pouffaient. La mère de Simon les a fait taire et tout le monde a mangé de la tarte à la figue, et bu de la limonade glacée. C'était l'été 1989. Simon avait neuf ans et le nouveau voisin s'appelait Antoine Moreira.

— On se réveille, là-dedans!

Simon ouvrit un œil. Toc, toc, toc. Un gros doigt frappait sèchement sur la vitre. Le petit cadran lumineux du tableau de bord indiquait 6 h 30.

— Désolé, mais va falloir dégager!

Les maraîchers avaient dressé leurs étals autour de sa voiture. Simon s'excusa d'un signe de la main, et déplaça sa Clio à quelques dizaines de mètres, près du boulodrome. Il revint sur ses pas. L'air était frais. Au-dessus, dans le ciel pâle, un nuage s'étirait comme un cimeterre. Le marché. Les primeurs déballaient fruits et légumes, les lustraient à l'aide d'un chiffon, en prenant soin de ne pas renverser les gobelets de café posés en équilibre entre les tomates. Guirlandes de saucissons et tresses d'ail rose de Lautrec décoraient le camion du boucher aux joues couperosées; monsieur maniait le hachoir, madame enfouissait des carrés de beurre à l'intérieur des poulets, avant de les empaler sur des broches étincelantes. Les voix étaient rondes et enrouées, on s'invectivait par affection. René le fromager effectuait sa ronde, armé de son bethmale et de son Opinel. «Un coup de cahors?» demanda un petit bonhomme moustachu, sosie de Toulouse-Lautrec. Simon acheta un pain au chocolat («une chocolatine», corrigea la boulangère) et se dirigea vers le cœur vibrant du village: son bar du coin.

Le café du village s'appelait désormais la Source. Simon se souvenait des tables en Formica sur lesquelles les vieillards tapaient d'éternelles belotes, dans la fumée lourde de leurs cigarettes roulées. Les soirs de match du Stade toulousain, Simon avait le droit d'accompagner son père. Ici, on ne diffusait que du rugby: en terre d'ovalie, le football était considéré comme un «pousse-cuge» (pousse-citrouille) de citadins. L'endroit était saturé de transpiration et les vapeurs d'alcool donnaient à l'air un goût sucré. Les hommes se pressaient devant la télé au cul énorme, leurs exclamations roulaient sur les commentaires, l'arbitre était un vendu, on jurait en occitan, on levait les bras au ciel, on en appelait au bon Dieu, bordel! Cette tempête se brisait parfois sur l'injonction impérieuse d'un ancien, et l'assemblée observait dans un silence de cathédrale le buteur armer son tir pour la transformation. C'était la seule fois de sa vie où Simon avait éprouvé le sentiment d'appartenir à une communauté.

À cette heure, la Source était déserte, ou presque. Trois silhouettes approximatives, à peine sorties de leur nuit, sirotaient un verre, le nez dans *La Dépêche du Midi*. Le sommeil collait aux paupières. Le patron balayait les tickets de PMU. Sylvie Vartan chantonnait *La plus belle pour aller danser*, et l'odeur de l'arabica se mêlait à celle du désinfectant. Simon commanda un double, et déplia un billet de cinq euros sur le comptoir. «J'aurais besoin de passer un coup de fil.» Le patron posa devant lui un vieux téléphone à touches Socotel vert canard, puis d'un même geste, attrapa le billet, lui servit un café, et lui rendit sa monnaie. Sarah ne répondit pas. Il laissa un message à Laura. Je suis arrivé. Tout va bien, je te rappelle.

58

— Vous trouverez une cabine, en face de la poste, maugréa un type. Vous êtes du coin?

— Je ne fais que passer.

Simon cligna des yeux. Dehors, le soleil s'était levé. Comme tous les villages du Midi toulousain, et nombre de cités cathares, Verfeil était rouge brique. Simon emprunta la petite ruelle qui grimpait à la place de la Victoire, et s'arrêta sous les grilles de l'église Saint-Blaise. Deux colombes s'envolèrent. L'église, épaisse et râblée, ressemblait aux gens du cru, plus ancrés dans la terre que dans les vérités célestes. Simon revoyait la longue allée. On lui avait retiré sa minerve la veille. Les gens murmuraient sur son passage. Les bouches se tordaient, les yeux cherchaient une fuite. Il gardait les siens rivés au sol, concentré sur sa progression, pénible, hanté par l'idée de trébucher.

Il s'était installé au troisième rang, en bout de rangée, afin d'étendre sa jambe. Les agrafes boursouflaient sa chair. Le curé appela ses parents. Ils se levèrent péniblement. Sa mère jeta un regard apeuré autour d'elle. Si son mari ne l'avait soutenue, elle serait partie en courant. Il régnait un tel silence. L'écho démultiplia chacun de leurs pas. On entendit chuchoter une prière. Une vieille se signa. Simon serrait les poings, les yeux baissés sur ses phalanges couleur os. Il ne voulait pas savoir ce qu'il se passait là-bas, à quelques mètres, cette mise en scène funèbre ne le concernait pas, rien de tout cela n'était vrai. Son tour arriva pourtant. Une décharge électrique remonta dans sa hanche lorsqu'il posa le pied à terre, et il se mordit la langue pour ne pas crier. Les béquilles l'encombraient. Du chœur montaient des odeurs de pierre froide, de cierges, et de bois ciré. Tandis qu'il s'approchait, il revit le petit corps, allongé sur un lit à roulettes, dans les sous-sols de l'hôpital. Son frère reposait, les traits doux, les pommettes rose fuchsia, de la même couleur que le rouge à lèvres de sa mère. Ses cheveux bouclés avaient été coiffés de façon à masquer la cicatrice. Les infirmiers avaient enfoncé des mèches de coton à l'intérieur de ses narines. Benjamin portait les souliers vernis qu'il avait reçus à son anniversaire. Simon sentit ses jambes le trahir. Les béquilles roulèrent avec fracas au pied de l'autel. Simon refusa l'aide du prêtre. En se relevant, il eut le temps d'apercevoir sa mère quitter l'église. Elle éclata en sanglots avant d'atteindre la porte. Simon rejoignit sa place. Une bile âcre irritait ses lèvres. Alors, un par un, mus par une lenteur éternelle, les proches et les autres vinrent rendre hommage à l'enfant dans le cercueil. Quelqu'un, à cet instant, avait posé une main sur son épaule. Antoine était venu.

Simon sursauta. Des cris, un rire moqueur. On détalait derrière lui, on s'affolait. La rue était déserte. Un chat, le même que la veille, l'observait d'un œil inquiet. Un gant glacé écrasa son cœur. Il avala deux comprimés de Tranxène, s'obligea à respirer avec mesure, ferma les yeux. Quand il les ouvrit, il se trouvait à l'intérieur de la cabine téléphonique. Des gamins avaient dessiné des bites

60

qui jutaient, et écrit «Aurélie t'es trop bonne». Simon ne décrocha pas le combiné.

Vingt minutes plus tard, il mettait pied à terre devant une maison étroite, juchée sur les hauteurs de Bonrepos-Riquet. Une 4L verte déglinguée (ou rafistolée, selon le point de vue) était garée dans l'allée. Les corbeaux qui sautillaient dans le jardinet ne prirent pas la peine de s'enfuir. En face, une vache le dévisagea au ralenti. Derrière, la chaîne des Pyrénées croquait l'horizon. Simon frappa à deux reprises. La porte s'ouvrit sur le visage d'une jeune femme rousse, de taille moyenne, aux yeux gris clair. Sa salopette bleue laissait entrevoir ses épaules nues, les muscles saillants de ses avant-bras. Un crayon de couleur jaune relevait ses cheveux en chignon, au sommet de sa tête. Elle lui tendit une poigne ferme, et se présenta – Sarah. Sarah était joufflue comme l'une des jeunes filles au piano de Renoir. Ses cheveux frisottaient. Elle laissa la porte ouverte, et le précéda dans la maison. La pièce principale était plongée dans une quasi-obscurité. Les volets étaient clos. Une lampe surmontée d'un abat-jour en velours aux franges poussiéreuses diffusait une lumière sépia. Sarah écarta une poignée de pinceaux.

— Où est-il?

— Toni est mort ce matin, lâcha-t-elle. Autour de six heures et demie. Le doc vient de partir.

Simon sentit sa main se raidir, comme si elle avait cherché à saisir quelque chose et il savait bien ce qu'elle cherchait à empoigner – sa peur. Le Tranxène veillait.

— Vous étiez proches?

Question idiote.

— Il me donnait des cours de peinture, le mercredi, répondit-elle, distraitement. Et j'arrivais à l'heure.

Elle se dirigea vers la cuisine, écrasée de lumière électrique. Simon entendit sauter la capsule d'une bouteille de bière. Elle traversa la pièce en sens inverse, posa la main sur la poignée de la porte d'entrée.

— J'ai besoin de prendre l'air. Cette baraque me file le bourdon.

La jeune femme avala une gorgée.

— Toni est là-haut. (Son regard se porta vers l'étage.) Les types de la morgue ne devraient plus tarder. Vous savez où me joindre.

Elle referma la porte avec précaution. Dans le salon, le téléphone retentit.

amphithéâtre de la fac du Mirail. Il avait reconnu son cou allongé, ses oreilles légèrement décollées, sa tête inclinée sur le côté droit, cette façon qu'il avait d'interroger le monde, en jetant un œil en coulisses. Simon ne l'avait pas attendu à la sortie. Ils n'avaient jamais reparlé de l'accident. Qu'auraient-ils pu dire qui ne l'avait déjà été, par d'autres ? Cette fois-ci, Simon ne fuirait pas.

Son premier souvenir de la mort remontait à l'enterrement de sa grand-mère, Angelina. Il venait d'avoir sept ans. Ce jour-là, un soleil claquant éclaboussait les tables montées sur tréteaux, ployant sous les victuailles. La nonna était allongée dans sa chambre, la porte entrebâillée afin qu'elle puisse profiter de la musique – un oncle, à la mandoline, alternait chants déchirants (pour les Polonais) et mélodies nostalgiques (pour les Napolitains). Les amis venaient présenter leurs respects, les proches déposaient un baiser sur son front, échangeaient quelques paroles au-dessus du corps. Dans les couloirs, les enfants jouaient. Parfois, une balle roulait sous le lit, et ils se contorsionnaient pour aller la déloger, sous le masque impassible – et peut-être secrètement amusé – d'Angelina, que tout le monde, au village, appelait Ange, parce que c'était plus court, et qu'elle le méritait. Ange était apprêtée comme pour l'église, et maquillée. Il avait fallu qu'elle meure pour porter fard à paupières et fond de teint. Simon conservait un souvenir précis des goûters du mercredi après-midi chez ses grands-parents, dans cette maison qui, plus tard, deviendrait la sienne. Ils s'installaient, tous les trois, autour de la table de ferme. Simon grimpait sur une chaise paillée, de celles qui picotent les cuisses en été, et Angelina déposait devant lui une bassine d'oreillettes. Gregor et Angelina s'amusaient à le voir plonger sa main dans ce chaudron de gourmandises, les doigts luisants et sucrés. «J'adore tes oreilles», disait Simon. «*Il mio piccolo tesoro*, on n'adore que Dieu! répondait Angelina, mais prends-en une autre, je n'y toucherai pas!» Sa grand-mère suivait un régime sans sel. Elle n'assaisonnait plus ses plats, ne mangeait que des légumes à l'eau, jamais de charcuterie, ni de pâtisseries. Et pour donner du goût à son jeûne, elle saupoudrait de sel sans sel. «J'ai plus d'interdits qu'un Juif polonais», aimait-elle répéter, en clignant un œil en direction de Gregor, qui répondait invariablement, sourcils froncés: «Tous les Polonais ne sont pas juifs!» Un monde sans sel. Voilà comment Simon envisageait la vieillesse. Alors, ce jour-là, il avait déposé un bonbon au miel dans l'une des poches d'Angelina, en se disant que maintenant qu'elle était morte, son médecin lui pardonnerait un petit écart.

Simon se souvint qu'il n'avait rien avalé depuis la veille au soir, quelques nectarines, c'était tout, et il eut faim. Sur une étagère de la cuisine, il dénicha deux boîtes de sardines, qu'il grignota à l'aide d'un cure-dent. L'huile se répandit sur le carrelage du plan de travail, jonché de pinceaux aux poils raides et de petites cuillères crasseuses. Au fond de l'évier, une pile d'assiettes sales. Des restes de nourriture. Un Post-it sur le réfrigérateur rappelait un rendez-vous avec une galerie de la rue du Taur, dans trois semaines. Antoine avait continué à vivre comme si de rien n'était. Cela n'avait pas été suffisant.

Simon déambulait maintenant dans le salon, avec l'impression de visiter un musée dédié à une vieille connaissance, avec qui, par manque de temps ou de curiosité, on a cessé d'entretenir le dialogue, mais dont on se rappelle certaines habitudes. Crayons, craies, tubes de peinture à l'huile se serraient dans des boîtes de conserve rouillées. Partout, des tableaux, des esquisses roulées. Il ouvrit l'une de ces grandes chemises cartonnées vert olive que portent fiévreusement sous le bras les étudiants des Beaux-Arts aux cheveux longs, et étala au sol des croquis au fusain – paysages pluvieux, esquisses de félins, une série de baigneuses, rondes et alanguies sur la grève. Simon poursuivit sa découverte, déplia les toiles, fouina dans les placards. Parfois, il s'arrêtait sur un détail, la silhouette d'un homme sous l'orage. La pièce se trouva bientôt jonchée de papiers cornés, qu'il entassa dans un coin, en soulevant un nuage de poussière.

Simon somnola un peu, mal assis sur une chauffeuse. Il s'éveilla, la nuque raide et la gorge aride. En se versant un verre d'eau à la cuisine, il prit conscience que le jour était tombé. Simon sortit sur le pas de la porte. Le soir bourdonnait, électrisé par la vibration des grillons. Des odeurs de viande flottaient depuis les maisons alentour. Une voisine appelait son mari, ça va refroidir! Simon rentra et ferma la porte. Il se méfiait plus que tout de la nostalgie, ce virus de l'âme. Elle vous ligote à des mensonges. Simon trouva du café soluble, un paquet de palets bretons. Il en grignota un, regarda l'autre s'effriter au fond de sa tasse. Il n'avait plus qu'à attendre le jour. Longtemps, Simon avait craint le sommeil. Voilà de nombreuses années que les rêves n'accrochaient plus. Ses nuits somnifères étaient lisses et désertes. Quand l'inconscient tirait sur la laisse, il avalait quelques comprimés supplémentaires, et le molosse regagnait sa tanière. Il s'allongea dans le canapé, la nuque contre l'accoudoir. Le plancher craqua au-dessus de lui. Le haut des marches était plongé dans l'obscurité. Simon se redressa. Le vieil escalier gémit sous son poids quand il grimpa vers Antoine. A-t-il eu peur? Ou froid? Qu'est-ce qui nous dit que la mort est froide? Ce sont là des pensées de vivant.

L'étage s'organisait ainsi : immédiatement sur la droite, un bureau encombré de cartons tenait lieu de débarras. Un couloir, tapissé de motifs floraux, desservait une chambre d'amis, puis une salle de bains. Sur la tablette ébréchée, un rasoir électrique, une brosse à dents figée de dentifrice, des poils. Antoine n'avait pas eu le temps d'achever sa toilette. À croire que la mort l'avait invité à la suivre, sans tarder ; les campagnes débordent de vieillards ; elle était pressée. Enfin, au bout du couloir : la chambre du défunt. Simon frappa avant d'entrer. La porte grinça. Encens, alcool chirurgical. Le mort était allongé sur son lit, les bras roides, disposés le long du torse. Il était vêtu d'un T-shirt ample, d'un pantalon de toile léger, et de chaussettes à pois. La toile laissait deviner les genoux saillants, le creux du sexe, les membres frêles. Antoine était du type malingre, presque maladif : il mangeait peu et pensait trop. Son profil évoquait le bec d'un rapace.

Simon se pencha au-dessus du corps. Le visage fronçait les sourcils, les lèvres retroussées sur une moue dubitative. On eût dit qu'il ne croyait pas ce qui lui arrivait. Simon ne s'était pas attendu à découvrir tant de caractère chez un mort. Sa tête, légèrement inclinée sur le côté droit, semblait avoir cherché à regarder dehors. Simon ouvrit la fenêtre. Si l'esprit d'Antoine flânait dans le coin, il aurait peut-être envie de se dégourdir les jambes. Ensuite, il prit place sur un tabouret, manquant de renverser une carafe vide, posée sur une table médicale. Quelle texture a la peau ? La mort a-t-elle une odeur ? On n'est jamais à la hauteur des pensées qu'on devrait avoir dans de tels moments. Simon imagina les derniers instants de son ami. Un vertige l'avait saisi. Il s'était allongé, pour reprendre des forces, et s'était endormi. Avait-il eu le temps de rêver ? Simon ne s'était jamais demandé de quelle façon il s'en irait. Il n'avait pas de souhait particulier si ce n'est, peut-être, de mourir par surprise.

Un calepin Moleskine avait glissé sous le lit. En se penchant, Simon heurta le bras gauche du mort. Sa raideur lui arracha un frisson. Simon observa la main menue, les doigts desséchés, les ongles longs sous lesquels la peinture s'était figée en une croûte brune. Il prit soin de ne pas entrer en contact avec elle, et ramassa le bloc-notes.

La première page avait été griffonnée. Quelques traits de crayon gras figuraient un moulin à l'ancienne, en surplomb d'un cours d'eau. Simon déchira la page, et glissa l'énigme dans la poche extérieure de son pantalon. Il eut la conviction qu'Antoine avait compris. Cette fois-ci, il ne se réveillerait pas. Simon avala trois comprimés pelliculés de Donormyl, s'adossa au mur, les yeux clos, en se massant la nuque, et essaya de rassembler quelques souvenirs autour du corps immobile, il prit son temps, il avait toute la nuit.

Quand il se leva, le dos fourbu, la chambre trempait dans une lumière froide. Dehors, les branches des arbres gouttaient d'un bref orage nocturne. Il jeta un regard à son ami, le regretta aussitôt – la chair de son visage était devenue farineuse, les yeux s'étaient réfugiés au fond des orbites, cernés de poches bouffies. La cicatrice, au-dessus de son arcade sourcilière, paraissait gonflée d'eau. Et il sentit comme une odeur de cadavre, grise et mouillée. Simon ferma la porte de la chambre derrière lui, et descendit. Il traversa le salon en apnée, ouvrit les volets en fronçant les yeux. La lumière se déversa en cascade, revancharde, et fit danser la poussière. Dans un coin, un chat ébouriffé somnolait sur une toile inachevée.

Ils l'embarquèrent à sept heures du matin, comme un sac de riz. Un voisin sortit en bâillant, deux vaches s'étaient approchées. Ils le chargèrent dans l'ambulance, sans cesser de discuter (le plus grand mâchouillait un chewing-gum), il paraît que la nouvelle coiffeuse est une bombasse, m'sieur, veuillez signer ici, oui, on l'emmène à la morgue, faudra venir pour les papiers, c'est obligatoire, bah, mon vieux, je sens que vais aller me faire couper les cheveux, bonne journée m'sieur, faut garder le moral, il va faire beau. L'un des types était revenu quelques secondes plus tard : il avait oublié son stylo Bic. Le chat poussa un miaulement éraillé en regardant l'ambulance s'éloigner, puis il essaya de capturer un rayon de soleil. Simon s'accroupit au milieu de la pièce. Il se sentit seul.

Laura prenait son bain quand il parvint à la joindre. Oui, il l'appelait d'un téléphone fixe, chérie, enregistre ce numéro. Je suis retenu. À Verfeil. Tu sais, le village où j'ai passé mon enfance. Non, elle ne savait pas, il n'en parlait jamais.

— Je vais devoir rester encore. Un ami vient de mourir.

— Un ami ?

— Une vieille connaissance, oui, Antoine Moreira.

Clapotis. Derrière, Vivaldi, un concerto pour violon. Laura paraissait lointaine. La ligne était mauvaise.

— Tu ne m'as jamais parlé de lui.

— On s'était perdu de vue.

— Alors c'était ça le coup de fil ?

Il entendit le corps de Laura se mouvoir dans l'eau.

— Tu te sens comment ?

Simon hésita.

— Vivant.

Un silence.

— Tu veux que je vienne ? Paris est immobile, la chaleur, épouvantable.

— Ce ne sera pas la peine. Des documents administratifs à régler, et j'arrive. (Sa main droite s'était raidie.) Je n'ai aucune intention de m'éterniser.

Laura avait retiré la bonde, l'eau gargouillait. Ils raccrochèrent. Simon promit de rappeler. Le chat vint se frotter contre ses jambes. Il posa une boîte de sardines au sol, attrapa les clés de sa voiture, sortit. Le ciel s'était levé. Il roula au pas, vitres baissées. En dehors des flaques prisonnières de nids-de-poule, toute trace de l'averse avait disparu. Il se gara sur le parking de l'Intermarché flambant neuf, entre un pick-up et une Renault 5 rouge. À l'intérieur, les températures étaient glaciales. La bouchère, une femme menue aux bras rouges, portait un porcelet sur son épaule, sa main soutenant le fessier. Elle le déposa sur un lit de marbre, avec la douce assurance d'une mère. Simon reconnut l'une de ses anciennes camarades de collège, Caro ou Steph ou Véro. Son père, gendarme, était mort en cueillant des cerises. Suite à un léger malaise, il s'était brisé la nuque en tombant de l'échelle. Il croisa son regard et se sentit obligé de lui commander quelque chose, par politesse. De la saucisse de Toulouse, pour deux personnes. Une faim préhistorique tenaillait ses entrailles. Antoine était mort, et Simon n'éprouvait aucune tristesse. Ça viendrait sûrement plus tard. Peut-être Laura avait-elle raison. Quelque chose clochait chez lui.

Chapitre 7

De la porte entrouverte, il reconnut Sarah. Elle se tenait, assise en tailleur, au milieu du salon d'Antoine. Le chat l'observait avec curiosité. Simon toqua sur le linteau en bois de l'entrée.

— C'est vous qui avez eu la bonne idée de laisser le chat avec une boîte de sardines ? lança-t-elle, sans se retourner.

Elle déchira le scotch avec ses dents. Sarah entourait de papier bulle les tableaux achevés d'Antoine, ou ceux qu'elle jugeait tels.

— Je sauve ce qui peut l'être, poursuivit-elle, comme pour elle-même. J'essaierai de monter une expo dans les environs, ou à Toulouse. C'était un de ses rêves.

Simon savait parfaitement qu'elle ne monterait rien du tout, et que les peintures d'Antoine, emmaillotées comme des momies, s'endormiraient sous la poussière d'un hangar des environs – et sans doute le savait-elle aussi. La jeune femme essuya une goutte de transpiration du revers de l'avant-bras. Un foulard rouge retenait sa chevelure. Son visage, rosi par l'effort, paraissait plus doux que la veille. Elle le dévisagea.

— Vous êtes un drôle de mec. On dirait que tout vous glisse dessus.

Simon faillit sourire.

— J'espère que vous aimez la saucisse de Toulouse.

Sarah était végétarienne. Cette religion de jeunes urbains favorisés avait contaminé les campagnes, ultime refuge des carnivores. Simon fit revenir la saucisse dans sa graisse, trouva de la moutarde. Sarah le regarda engouffrer son plat. Il apprit qu'elle était juriste : après avoir exercé trois années à Toulouse, elle était venue s'installer au vert, pour élever des vaches et cultiver son jardin intérieur. Elle donnait des cours de yoga, le vendredi après-midi. Paysans 2.0. Les agriculteurs, de son temps, avaient les mains calleuses et ne quittaient pas leurs bottes en caoutchouc. Sarah se dirigea vers un vieux bahut en pin, dont elle revint armée d'une bouteille d'armagnac, « Toni ne nous en voudra pas ». Elle remplit deux verres à ras bord, vida le sien, se resservit.

— Bon alors, vous êtes du coin, vous aussi ? Vous l'avez rencontré comment, Antoine ? Ça vous dérange si je fume ? demanda-t-elle, en allumant une cigarette.

Simon, qui n'avait rien d'autre à faire, se laissa tenter. Sarah était une étrangère. Son jugement lui importait peu. Il ne la reverrait plus. Après tout, pourquoi pas. Il avait toujours eu un don pour raconter les histoires, et d'abord à lui-même. Il ne prenait aucun risque. Les confidences n'impliquent que ceux qui les croient.

Antoine Moreira était arrivé en CM2. C'était un garçon un peu sauvage, qui ne savait pas mentir, ni se battre, et passait ses récréations à bouquiner, dans un coin du préau. Tout le monde l'appelait Toni, ça faisait américain. La famille Moreira louait une maisonnette, au «lotissement du Soleil». Des bicoques alignées, avec façades en crépi saumoné et petit bout de terrain rectangulaire, planté d'un arbre en son nombril. Dany, le père, roulait en moto japonaise. Baraqué, rouflaquettes, santiags et blouson de cuir, il avait la beauté provinciale. Dany Moreira avait été représentant de commerce, professeur d'auto-école, et propriétaire d'une laverie automatique. Il venait de racheter l'agence immobilière du village pour une bouchée de pain. Des bruits ne tardèrent pas à circuler, comme quoi il concédait des ristournes en échange de certaines faveurs (surtout aux femmes). Les vieux tenaient scrupuleusement à jour la grande encyclopédie des rumeurs, inutile de ruser avec eux, ils n'étaient durs d'oreille que quand ça les arrangeait. De la mère, en revanche, on ne savait pas grand-chose. Elisabeth Moreira était très grande, très maigre, et plus discrète encore. Nul ne l'avait jamais vue sourire. On la croisait parfois chez le primeur, cabas à l'épaule et fichu sur la tête. Elle se déplaçait à petits pas pressés, le sol lui brûlait les pieds. Les seules fois où les Moreira s'affichaient ensemble, c'était à l'office du dimanche. Beth-la-bigote y traînait son mari.

74

Le petit Antoine suivait, tête basse, en faisant mine de ne pas remarquer les ricanements dans son dos. Sa mère l'obligeait à se confesser, le contraignant à s'inventer des péchés imaginaires.

« Qu'est-ce t'as à être si maigre ? Tu bouffes comme quatre, et tu ferais flipper une écharde ! » Dany prenait plaisir à humilier son fils. Le gamin baissait la tête. Il avait ses raisons. En cours de gym, Antoine prenait sa douche en caleçon et T-shirt. Ses camarades se moquaient de sa pudeur de catho coincé. Un jour, il avait retiré le haut. Des lacérations couraient autour de son torse, un chaînon de gouttelettes de chair dégoulinait de son dos. On aurait juré que quelqu'un avait poinçonné sa peau. « Papa a l'habitude d'essayer d'abord ses ceintures sur moi. Les bons jours, il me laisse choisir entre le cuir ou la boucle. » Toni s'était rhabillé, dans le vestiaire silencieux. Plus personne ne riait. Comment pouvait-il continuer à l'appeler « papa » ? Sa mère n'était jamais intervenue. Pas par faiblesse, ou peur de son mari, non, elle évoquait une « punition pour des crimes commis avant sa naissance ». Un matin, Dany Moreira est monté sur sa moto pour aller acheter des cigarettes, et n'est jamais revenu. On a cru qu'il fuyait le fisc : il était parti avec la femme du maraîcher. Les salauds ne sont pas originaux. La mère Moreira s'était enfin trouvé une bonne raison de porter le noir. Elle a repris son nom de jeune fille et fermé les volets de sa maison. On devinait parfois sa silhouette, derrière les rideaux. Elle ne sortait que pour se réfugier dans l'église.

Elle aurait aimé que son fils soit curé de campagne, parce qu'elle aimait Dieu, la campagne et qu'elle aimait mal son fils. À cette heure, elle est peut-être encore en train d'épier la rue, sans savoir qu'il repose dans la chambre froide de la morgue municipale.

Chapitre 8

Un chignon, des ongles cerise, les effluves d'un parfum épais. La jeune femme blonde susurra à son oreillette : « Maison funéraire de Saint-Marcel-Paulel, j'écoute... ». Située en contrebas du cimetière, la morgue était un bâtiment pimpant, aux murs lavande. *In memoria aeterna.* Gravée sur le frontispice encadré de colonnades en plâtre, l'inscription prévenait qu'ici, on connaissait son latin. Un vigile à tête de Droopy invita Simon à traverser un portique. À l'intérieur, sur la droite, une affichette plastifiée proposait des pierres tombales pour les retardataires, mais attention : « Aucun caractère ne peut être placé sur les pierres tumulaires ou monuments funéraires sans avoir été préalablement soumis à l'approbation du maire. »

L'hôtesse confia à Simon un badge « Visiteur », et lui indiqua l'unique fauteuil, en plastique marron, opposé à un immense écran plat. Du hall émanait une vertigineuse sensation de vide. L'impression d'une chute immobile sur la *Marche funèbre* de Chopin, version latino, en guise de tapisserie sonore. Il y avait une horloge, une table basse en verre, un magazine, c'était tout. L'écran s'éclaira. Apparurent Paul et Christiane, fringants septuagénaires aux crinières ondulées. Paul et Christiane étaient dans leur cuisine – Paul coupait du pain, Christiane mélangeait la salade. Ils avaient l'air heureux, ils attendaient peut-être des invités. Ah ! Ils aperçoivent la caméra, se retournent, et les yeux dans les yeux s'adressent à Simon : « Il n'est jamais trop tôt pour préparer ses obsèques. » Paul passe ensuite un bras autour des épaules de Christiane, et ils se lancent un tendre regard, au-dessus de la belle frisée aux lardons.

Dans sa volonté de dédramatiser, la maison funéraire était parvenue à reproduire l'atmosphère d'une grande surface de banlieue, un lundi matin. Du temps d'Angelina Reijik, la mort ne se cachait pas ; elle s'assumait. Aujourd'hui, elle était devenue honteuse. Il fallait la désinfecter. La parfumer. La centre-commercialiser. La réalité ici sonnait creux, les décors paraissaient en toc, le vigile et la blonde s'étaient échappés de chez Tex Avery. Simon lui-même n'était plus sûr de connaître les raisons de sa présence. Il devait être écrit quelque part que sa participation était requise, sur ce fauteuil en plastique marron. Dans le doute, il resta.

Il en profita pour feuilleter le magazine du Syndicat national interprofessionnel des fondations funéraires de France (le SNIFFF), parution luxueuse, aux pages épaisses et glacées. Un édito dévoilait les quatre fonctions de l'inscription funéraire : 1. Identifier le défunt. 2. Conserver sa mémoire. 3. Exprimer l'attachement de ses proches. 4. Signaler aux visiteurs et passants qui il était, de son vivant. Suivaient les modèles et tarifs des tombes, standard ou sur mesure (de 2000 à 15000 euros), auxquels il convenait d'ajouter les gravures – la feuille d'or («une option choisie dans 90% des cas pour sa résistance aux intempéries») coûtait quinze euros la lettre. Les pauvres préféreront le haïku aux vers hugoliens.

— Je vous présente mes sincères condoléances, monsieur Reijavik.

Simon reconnut la voix apprêtée de la veille. L'individu tendit une main douce et potelée : «Alphonse Chevalier, croque-mort de père en fils depuis 1789.» Chevalier tenait autant du groom new-yorkais des années 1930 que du grognard de Napoléon. Il portait un gilet noir sur une chemise blanche et des moustaches en guidon. D'épais favoris lui mangeaient les joues. Des yeux vifs roulaient de son interlocuteur au dossier qu'il tenait sous ses narines.

— Veuillez signer ici et me suivre. Il est l'heure de voir le corps, ajouta-t-il d'un ton affecté.

Affecté, il l'était cinq fois par jour, à heures précises. Son métier, prétendait-il, non sans fierté, s'apparentait à une forme d'art : ne glissait-il pas son bras sous celui de ses clients en cas de volontés flageolantes ? L'astucieux croque-mort conservait dans sa poche intérieure une petite flasque d'alcool. On ne lui connaissait que deux obsessions : les horaires et le protocole. Ils empruntèrent un couloir étroit, éclairé par des néons blêmes. Les murs étaient blancs, les fleurs en plastique. Simon pénétra dans une salle carrelée. Trois corps y reposaient, en rang d'oignons, recouverts de linceuls.

— Votre ami a de la chance. Un créneau s'est libéré in extremis. Figurez-vous que la dame de onze heures a souhaité donner ses organes, au dernier moment.

Alphonse Chevalier jeta un coup d'œil à sa montre à gousset, vous avez cinq minutes pour vous recueillir, et sortit. Simon se plaça à côté du corps, ne sachant que faire. Il s'était autorisé ce matin un mélange de cocaïne et de morphine, associé à un demi-Seropram. Pour l'instant, tout se passait bien, même s'il avait la conviction que le néon ne grésillait pas quand il était entré dans la pièce. Le drap laissait entrevoir le talon d'Antoine. Une étiquette pendait à son gros orteil. Simon réajusta le tissu pour le dissimuler, mais ce faisant, découvrit son crâne. Tandis qu'il cherchait à replacer le linceul dans sa position initiale, le drap lui échappa, glissa à terre, et dévoila le cadavre. La peau avait fondu sur les os. Ses jambes n'étaient guère plus épaisses que ses bras. Le sexe reposait, atrophié. Une tache verdâtre était apparue sur son abdomen. Le néon rendit l'âme. Simon rejoignit Chevalier. Ils empruntèrent de nouveau le couloir dans le sens opposé, débouchèrent à l'extérieur. Simon respira un peu mieux.

— Voilà comment ça va se passer, cher monsieur, glapit le grognard, essoufflé. Le cercueil adapté à la crémation sera placé dans un four chauffé à 890 °C, pendant environ une heure et demie. Étant donné la corpulence de votre ami, on devrait partir sur une heure et quart, *a visto de nas*. Les cendres récupérées seront placées dans un « cendrier », lui-même disposé dans une urne funéraire, laquelle vous sera *exceptionnellement* remise, comme stipulé dans le testament.

Puis sur le ton de la confidence :

— Onze heures est le meilleur horaire de la journée. La place est encore chaude du précédent. Ça nous fait bien gagner dix minutes, cette histoire.

Chevalier s'interrompit : Sarah s'avançait vers eux dans une jupe sombre satinée, à volant, serrée à la taille.

— Retrouvez-moi à l'intérieur pour assister à l'introduction du cercueil, chuchota le croque-mort. C'est un moment émouvant.

Il s'éclipsa. Sarah s'aperçut que Simon l'observait de biais. Elle eut un sourire.

— Oui, je porte ma robe de flamenco. Ma penderie n'est pas adaptée à des jours comme celui-ci. Pour tout te dire (on peut se tutoyer ?), c'est mon premier enterrement.

Une petite foule patientait devant le crématorium.

— Ce sont des amis de l'AMAP, commenta la jeune femme. Ils savent qui vous êtes.

L'AMAP. Curieux acronyme, pensa Simon ; or, en l'absence de son iPhone (et encore eût-il fallu une connexion wifi de qualité), il n'avait pas la moindre idée de sa signification. Un sympathique moustachu inaugura le cérémonial des condoléances. Claude et Maryse, Cécile,

Angèle, Clément, Isabelle, les sœurs jumelles Marie-Hélène et Marie-Flore, Andrée avec un «e», Danièle avec un «l», Ann, Florine, Sophie, Johan, Priscilla : tout ce petit monde défila, lui serra la main, «on s'y attendait, mais ça surprend toujours», on lui malaxa l'épaule, des joues se tendirent. «Mon vieux, je suis désolé.» Simon accueillit ces témoignages de sympathie avec gratitude, comme si c'était lui qu'on accompagnait au bûcher. Une répétition grandeur nature du jour fatidique. Deux figurants et une danseuse de tango sur sa tombe suffiraient. Il partirait, anonyme, et avec un peu de chance, le diable, qui n'est pas si malin, ne le remarquerait pas.

Chevalier inclina légèrement le buste au passage du cortège. La salle, tendue d'épaisses draperies noires, était minuscule, ils durent se tasser. Le premier mouvement de la *Symphonie du nouveau monde* s'éleva, Chevalier rabattit le couvercle du cercueil, au fond duquel leur ami se tenait allongé. Un cercueil modeste, en bois blond. Antoine disparut à l'intérieur d'une trappe – et ce fut tout. Chevalier invita l'assistance à gagner «la salle de repos». Claude avait apporté une Thermos de café et des crêpes. Une vieille rabougrie, le visage dissimulé sous un fichu à pois, s'échappa à petits pas pressés. La météo du jour était indécise. Un rayon échappait parfois du manteau nuageux, sans parvenir à le déchirer. Sarah fumait une cigarette, à l'extérieur. Simon la rejoignit.

— Qu'Antoine soit resté ici toute sa vie me paraît dingue, lança la jeune femme. J'ai toujours eu l'impression

que c'était un «type de la ville», égaré à la campagne.
Quelque chose a dû le retenir.

Un moment de silence, troublé par le gazouillis d'un rouge-gorge.

— La première fois que j'ai vu Antoine, je le tenais au bout de ma carabine.

Simon regardait l'horizon, mais il devina son sourire.

— Ce dingo retournait mon champ avec une pelle, en pleine nuit. Je lui ai braqué la torche sur le visage, et il m'a tranquillement répondu qu'il cherchait des crânes.

Sarah écrasa sa cigarette, lissa sa robe du revers de la main.

— Le terrain forestier que je loue a longtemps servi de cimetière aux chasseurs. Ils dépeçaient les animaux et enfouissaient les carcasses... On enterre tout dans le coin. Pendant ce temps-là, Antoine brûlait.

— Le type a précisé combien de temps ça durait?

Simon n'était plus là.

Chapitre 9

Les morts, à Verfeil, ont la belle vue. Les âmes s'y offrent même le luxe de bronzer. Le cimetière, orienté plein sud, est entouré d'un muret de pierre sèche ; l'éternité en pente douce, et des tournesols pour les soirs d'été. Simon a toujours apprécié la lenteur des cimetières, le gravier poussiéreux, la petite vieille qui jardine, accroupie devant la tombe de son mari. Certaines stèles gonflent le torse, leur démesure ne les empêche pas d'être oubliées. D'autres, modestes, fleurissent toute l'année. Adolescent, Simon s'y réfugiait parfois au coucher du soleil. C'était là, avec Antoine, qu'ils se brûlaient les poumons avec passion, aux Gitanes maïs.

Simon avait une dizaine d'années. Tous les étés, ses parents conviaient le voisinage à de gigantesques grillades, une célébration païenne carnivore très courue. Ce jour-là, les Moreira arrivèrent parmi les premiers. On les avait poussés l'un vers l'autre, les adultes se plaisent à jouer aux entremetteurs. Simon connaissait Antoine, mais ils ne s'étaient jamais adressé la parole. Il jeta un œil perplexe sur ce gamin trop bien fagoté – nul, dans les années 1990, n'était censé ignorer que la chemise, la plus ample possible, se portait *sur* le pantalon, et non rentrée *à l'intérieur*. Antoine avait pensé – est-ce encore l'un de ces méchants petits êtres qui lui tiraient les cheveux de la nuque en classe ou imitaient son zozotement? L'amitié naît souvent de la rencontre de deux solitudes qui décident de faire un bout de chemin ensemble. Simon n'était pas à plaindre, il y avait toujours du monde à ses anniversaires. Il n'était pas dupe, non plus: sa notoriété, comme la fréquentation de ses goûters, reposait sur les talents sucrés de sa mère et les paquets de marshmallows que les camarades affamés engouffraient par poignées. Il ne décela aucune sorte d'avidité chez Antoine, nulle urgence (à cet âge où les sentiments piaffent d'impatience, se bousculent et se contrarient) mais une curiosité sincère, un peu pincée. Antoine posait des questions et écoutait les réponses. Simon se surprit à surveiller son langage, avec le sentiment confus de s'adresser à un adulte, tombé par accident dans le corps d'un enfant.

Le père de Simon leur avait confié la cuisson des chipolatas et des chorizos. Simon attrapa une saucisse sur la grille, et la croqua. Antoine voulut l'imiter: la chaleur le fit hurler de douleur. Ils s'esclaffèrent. La graisse crachotait, les braises brûlaient leurs visages, ils étaient bien. Le lundi suivant, Simon proposa à son nouvel ami de s'asseoir à la place laissée vacante par Caillou. Tu es sûr qu'on a le

droit ? Simon avait haussé les épaules, t'inquiète, la maîtresse m'a à la bonne, ma mère lui file des pots de confiture. Alors, Antoine s'installa à ses côtés. Simon invita
« le voisin » pour les week-ends, et ses parents finirent par
se prendre d'affection pour ce garçon, plein de tics et de
retenue. Antoine ne faisait pas de bruit, mangeait ce qu'on
lui proposait, même les endives à la béchamel que la pro-
pagande parentale prétendait « excellentes pour la santé ».
Il aimait la peinture. Les parents de Simon lui offrirent
son premier pinceau, et quelques tubes de gouache. Un
samedi que le voisin corrigeait son gosse à coups de savate
dans le jardin, Antoine s'était avancé jusqu'à la barrière
et lui avait demandé d'arrêter, sinon un jour, monsieur,
votre fils vous rendra la pareille. Le gros Léon (que tout
le monde appelait Marcel à cause des débardeurs tachés
qu'il portait, été comme hiver) ne s'en était guère ému.
Antoine avait passé le portail, s'était planté devant lui,
et de nouveau, l'avait prié de laisser le petit tranquille.
Le gros homme, stupéfait, était rentré chez lui en claquant la porte. Son gamin s'était relevé, l'oreille écarlate,
furieux : « La prochaine fois, mêle-toi de tes oignons. Je
vais m'prendre une de ces roustes ! » Il avait craché entre
les jambes d'Antoine et rejoint son père à l'intérieur pour
recevoir la fin de sa correction.

Simon poursuivit sa déambulation dans les allées du
cimetière. Cordobal, Mattei, Fabre, Estival, les familles
de Verfeil reposaient ici, parents, amants, ennemis, frères
et sœurs morts le même jour. Il obliqua sur la droite.

Une tombe modeste, entourée de buis, se tenait à l'écart, dissimulée par l'orgueilleux mausolée d'un maire devenu préfet. Des fleurs artificielles achevaient de se délaver. L'endroit paraissait abandonné : madame Lorca avait dû mourir, elle aussi. Simon retira la poussière de la tombe de Caillou, quelques feuilles, se releva un peu vite, les cyprès tournoyèrent. Lorsque le cimetière redevint immobile, un petit garçon l'observait avec curiosité. Il était vêtu d'une marinière, d'un bermuda et de chaussures vernies. Simon fit un pas vers lui. Le garçonnet ne bougeait pas. Il s'approcha encore. L'enfant jeta un coup d'œil derrière lui, et détala. Simon rejoignit l'allée par laquelle il s'était échappé : déserte. Il baissa les yeux. Un bras de lierre s'enroulait autour de la stèle de ses grands-parents. La dalle, grise, avait foncé. Ensuite, il se tourna vers sa voisine, de taille plus modeste, en granit rose de la Clarté. Il n'avait jamais cessé d'envoyer des fleurs, toujours les plus chères. Il n'osa lever les yeux vers la mention gravée en lettres d'or, assortie d'une broche papillon, piquée par les intempéries. Simon quitta le cimetière avec l'impression qu'un vent puissant soufflait dans son dos, et le chassait.

Une demi-heure plus tard, le croque-mort lui tendait une urne en céramique, couleur crème, «mensurations réglementaires, contenance de 4 litres». Elle était livrée avec un sac cinéraire en fibre de verre, contenant une mèche de cheveux du défunt. Non seulement Antoine avait choisi d'être incinéré, mais il l'avait nommé légataire universel. En plus de ses cendres, Simon allait devoir se coltiner la paperasse, et un échantillon capillaire! Si nous écrasons nos morts sous plusieurs couches de terre, c'est pour ne plus en entendre parler. Chevalier jeta un œil à sa montre à gousset, lui souhaita « bon courage », et disparut. Une main se posa sur son avant-bras.

— Apéritif à la maison, l'avertit Sarah. Si ça te tente.

Sarah habitait une ferme retapée, pleine de recoins, de poutres et d'escaliers, prolongée d'une grange à l'intérieur de laquelle quatre blondes d'Aquitaine ruminaient leur sort. Un dogue argentin les accueillit en bondissant et tatoua l'empreinte de ses pattes humides sur les costumes des invités. Sarah était présidente de l'AMAP, l'Association pour le maintien d'une agriculture paysanne (c'était donc cela!), une secte sympathique, adepte du bio, du bon, et du pas loin. Les Amapiens n'étaient pas les habitants d'une lune lointaine mais des personnes raisonnables, partisanes du raisonné. Claude, le référent viande, présenta Gérard, le nouveau référent volaille; il y eut des murmures de satisfaction, depuis le temps! Simon posa l'urne au sommet d'une haute armoire. Antoine apprécierait la vue. Regarde, mon vieux, ces gens sont venus pour toi. Ils ont même cuisiné. Soupe de potimarron au quinoa, poêlée de rutabaga, minigalettes des Incas, gratin de boulgour, pâtes « pseudo-bolognaises », poulet au soja de Takayama et miel de bruyère; Simon assista, subjugué, à un défilé de saladiers sous cellophane. Sarah ouvrit des bouteilles d'un vin vif et sans sulfites, « offertes par un petit producteur des environs ». On dîna autour de la grande table dans des assiettes en carton recyclable, et chacun entreprit de raconter une anecdote sur Antoine, responsable de la branche fruitière de l'AMAP. Antoine Moreira s'était donc trouvé des compagnons de route. Quand on connaissait son inaptitude à communiquer, c'était inespéré. Les regards se tournèrent vers Simon. On attendait quelques mots de «l'invité».

— Antoine ne savait pas mentir, commença-t-il.

«Oui, c'est vrai», acquiescèrent les visages émus. Simon poursuivit, d'une voix lente.

— Je ne peux m'empêcher d'imaginer ce qu'il aurait pensé, en nous voyant communier ainsi. Combien, parmi vous, connaissaient *vraiment* Antoine Moreira? Vous aviez raison, Sarah. Il méprisait la petite vie villageoise, étriquée, menteuse, il se sentait à l'étroit… Mille fois, il s'est promis de partir, mille fois, il est revenu sur sa décision. Il ne savait pas où aller, voilà pourquoi. Personne ne l'attendait nulle part. Antoine était seul. Il aura fallu qu'il meure…

Un moment de silence nerveux suivit. Sarah se hâta de saluer la mémoire «d'un super type, parti trop tôt, un sacré peintre qui plus est, le cœur sur la main, toujours prêt à aider» et le brouhaha reprit, péniblement. «Un ramassis de péquenots incultes, des esprits gourds et primaires», voilà ce qu'Antoine pensait des villageois, voilà ce que sifflait sa voix grêle, quand il avait bu, cette voix qui ne mua jamais, et dont il avait honte, comme il avait honte de ses épaules étroites, et du cheveu qui encombrait sa langue. Les gens sont obsédés par la vérité, mais ils ne la supportent pas. Simon s'effondra sur un banc, dans le couloir de l'entrée, sous le regard fixe d'un faisan empaillé. L'animal le dévisageait avec un mépris presque agressif. Advint alors ce qu'il appréhendait depuis son arrivée. Il pensa à Benjamin. Il effrita deux Aspégic dans une bouteille de gin. L'alcool s'en irait traquer l'orage, les remords, cette douleur qui broyait ses mâchoires et brûlait ses tempes. Les gens, autour de lui, étaient redevenus gais. Ils ne pouvaient pas comprendre. Un homme vint s'asseoir à ses côtés, je m'appelle Rodolphe, vous ne venez pas avec nous ? Le couloir commença à osciller. L'alcool lui apporta le lâche soulagement de l'ivrogne, lorsque le sol se dérobe et que disparaissent le sens, les formes, et Rodolphe. Seul demeure le corps. L'esprit libéré volète autour, indécis, éparpillé. Une lumière blanche l'éblouit. Il crut d'abord que c'étaient des phares, mais ces phares ne bougeaient pas. Il ferma les yeux. Il connaissait cette lumière. Sa signification. Alors, le plus longtemps possible, il garderait ses yeux clos, il refuserait de voir et d'écouter, il avait mal, il avait peur, mais ce n'était qu'un mauvais rêve. On le tirait par la manche, doucement d'abord, avec fermeté ensuite. Il ouvrit une paupière, une silhouette trouble le scrutait, mains sur les hanches.

— Il est tard, dit Sarah.

Simon parvint à déplier ses membres. L'équilibre était temporaire mais il tenait debout. Sarah lui proposa peut-être de dormir dans la chambre d'ami, il n'en était pas sûr.

90

Il traversa le salon désert, poussa la porte. La nuit était chaude et claire. Un frisson le traversa.

— Je vais te ramener chez Antoine.

Simon reprit connaissance sur le siège passager. Ils fonçaient à toute vitesse vers une bouche, qui s'éloignait. Les platanes fouettaient la nuit. L'histoire aurait pu en rester là si Sarah avait emprunté une autre route, mais il n'y en avait pas. Le panneau, éclairé une fraction de seconde, indiquait le « chemin de Garrigues ». Stop! Elle ne l'entendit pas, alors il s'empara du volant, et Sarah pila. « Tu es malade? » hurla-t-elle. Simon ouvrit la portière, et se jeta dans la nuit. Ses jambes l'emportaient. Elles paraissaient sûres d'elles-mêmes, elles venaient d'éviter un fossé, ah non, finalement pas. Simon tomba en avant, son épaule heurta une branche, une griffe déchira sa chemise. Il releva le visage, reconnut les ombres qui l'entouraient. À moins de dix mètres se trouvait le portail – et là, sur la gauche, une mare, le baisodrome pour batraciens le plus fréquenté de la région. Il distinguait maintenant les contours de la maison. Simon demeura immobile, au sol, haletant. S'il s'était approché de quelques pas, il aurait peut-être aperçu, depuis la vitre étroite de la cuisine – à supposer qu'une lumière éclairât le fronton de la cheminée – le petit cadre en bois, dans lequel ils avaient enfermé la figure tutélaire du grand-père.

Derrière lui, loin derrière, Sarah criait son nom. Simon pensa – si elle continue, elle va ameuter tout le voisinage. Alors, il se releva.

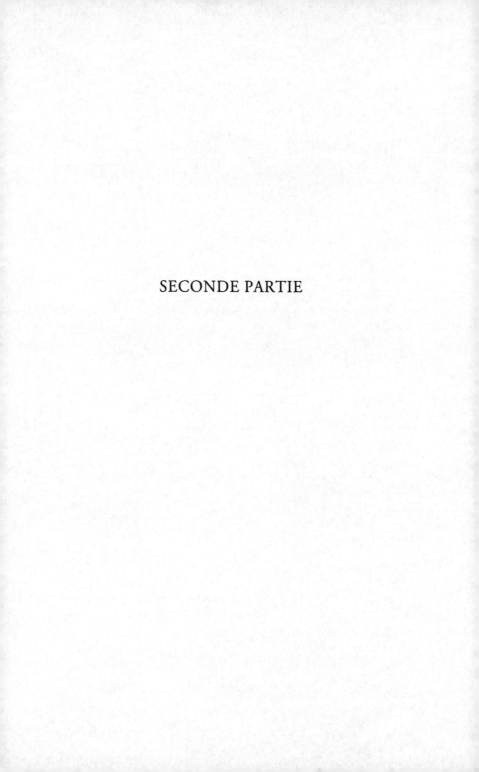

SECONDE PARTIE

Chapitre 10

La vieille bâtisse dort comme un gros chat dans l'aube naissante. Elle paraît humble, recroquevillée, cernée de chardons et de buissons épineux. Son portail est envahi de mousse. Il y a vingt ans, j'ai traversé ce même portail en sens inverse, sans me retourner. Et personne pour me retenir, ou me maudire. Le figuier est toujours là, géant trapu aux bras larges, aux feuilles grasses et rêches comme du papier de verre. Dès la fin de l'été, ses extrémités s'affaissaient pour nous tendre leurs petites bourses sucrées, obèses de soleil, dont la pulpe écarlate maculait le sol, et attirait les guêpes. Nous en gobions des saladiers entiers, en faisant craquer les grains sous les dents. Le hamac a disparu. Seule demeure la table en fer forgé, rouillée, un pied à moitié enfoncé sous la terre. Les herbes m'arrivent sous le genou. Je suis à quelques mètres de l'entrée. Des ronces cherchent à me retenir. Chut. Là, derrière la porte. Ces voix, la rumeur des temps passés.

Jamais moins d'une douzaine à table. C'était le credo

de la maison. Tout était prétexte aux retrouvailles – les longues soirées d'hiver, la douceur estivale, le soleil d'automne, l'arrivée du printemps. Notre maison n'était pas plus grande que les fermes environnantes ; on poussait les murs et on se serrait les coudes. Mon père décrochait jambons secs et cochonnailles. Chemin de Garrigues, on ne manquait ni de chaleur, ni de viande. Quand les clients de mon père ne pouvaient pas payer tout de suite (le crédit est une vieille tradition campagnarde), ils glissaient dans son coffre des morceaux du cochon de l'année, une épaule de chevreuil, une fois, un couple de pintades diaboliques, qui venaient criailler sous la fenêtre de ma chambre jusqu'au jour où mon père leur a coupé le sifflet. Ma mère les a farcies et cousues au fil chirurgical.

Des amis s'invitaient, moulés dans la glaise du pays. Ils conversaient en « vieux grigou », un baragouin charnu, mélange d'occitan et de patois, dont les échos rebondissaient contre les poutres et claquaient comme des feux grégeois. À ces vigoureux représentants de l'espèce gasconne, se joignaient souvent une poignée de « camarades », les copains du patriarche, ceux qu'on appelait « le gang des taiseux », ou les « marmonneux » : « Avec le temps, les mots raccourcissent », disait, plein de mystère, le vieux Gregor. Ils s'installaient dos à la cheminée, sirotaient un gaillac râpeux dans des verres de cantine, eux qui n'avaient jamais mis les sabots à l'école. Grand-père régnait en doyen grincheux sur son cénacle amical. Un éclair traversait parfois son regard, il était difficile de savoir si c'était le reflet de l'alcool, ou une étincelle de nostalgie. Chaque année le rapprochait de cette terre qu'il avait creusée, et qu'il crachait désormais, dans l'âtre sifflant. Un coq claironne. Je me tiens sur le seuil, les chaussures humides, le crâne piétiné par un fer à cheval. Une clarté mauve caresse le toit de tuiles. La porte pivote en grinçant. Elle est ouverte. Autrefois, la maison sentait la suie, le feu de bois, et ce parfum métallique que diffusent les pierres grises, si froides qu'elles paraissent humides. Une brume de tabac flotte dans la pièce. La pluie imprègne les murs. La cheminée déborde de cendres. «Il y a quelqu'un?» Pas de réponse. Je fais quelques pas, avec le sentiment étrange de me promener à l'intérieur d'une photographie rescapée de mon enfance. Gregor me toise, depuis son cadre verni. Sur le cliché, il pose entre deux amis, adossés à un wagonnet, torses nus et visages noircis par la suie, lampes frontales vissées autour de leurs crânes. De leurs postures émane un mélange d'épuisement et de fierté. Grand-père doit se demander quels vieux dossiers je viens ouvrir. La poussière s'est déposée sur mes souvenirs de gosse, mais ils respirent toujours. Le bahut, forteresse inaccessible, au fond duquel on rangeait «les couverts pour les invités», désormais dérisoire, moucheté de moisissure; le vieux tourne-disque à manivelle récupéré à la décharge, que mon père n'a jamais trouvé le temps de réparer; la cheminée, énorme, à l'intérieur de laquelle Grand-père fourrait sa corpulence, assis sur une chaise basse; la grande bibliothèque en chêne brun, son cadeau de mariage à mes parents, et sur ses étagères qui n'ont jamais ployé, les livres empoussiérés, tranches au garde-à-vous, que je soupçonne de ne pas avoir changé de place depuis mon départ. Ce chaos bienveillant me fit veiller, il y a longtemps. Plus jeune, j'ai lu (des romans d'aventures, surtout), depuis, j'ai cessé. Les auteurs se donnent beaucoup de mal et de mots pour expliquer que le bonheur est illusoire, l'amour passager, et les regrets éternels. Qui en doute?

Les grands portraits encadrés qui me glaçaient le sang ont été décrochés. Sur le canapé, en revanche, je reconnais la couverture d'Algérie, celle avec de gros losanges blancs et bleus et des chameaux stylisés, souvenir de la coopération de mes parents à Mostaganem. Ma mère y avait été professeur de biologie, à l'Institut technique agricole. Mon père, vétérinaire de campagne. Là-bas, il avait appris à écouter les hommes avant de les soigner, et quand il avait le temps, il s'occupait de leurs chèvres faméliques. Il conserverait les réflexes du Dour à Verfeil, tant et si bien que, quand le vieux Montagnac avait cherché à se faire sauter la tête à la carabine, ce ne sont pas les gendarmes, ni les pompiers que la vieille avait appelés, mais Marius Reijik, mon paternel.

— Alors, tu es revenu.

La voix, rauque, poitrinaire, me fait sursauter. Mon père est assis dans la cuisine, vêtu d'un débardeur, les avant-bras posés sur la table en Formica rouge. En équilibre sur le cendrier, une Gitane achève de se consumer. Mon allure débraillée ne semble pas le surprendre. Il m'observe comme si ma présence ne constituait à ses yeux qu'un intérêt mineur, une virgule matinale, à l'orée de sa journée. Seul indice, son claquement de mâchoire, cette façon particulière de faire jouer les nœuds de cartilage derrière la ligne des maxillaires. Il remplit un verre de café, et le pousse au centre de la table.

— Bois tant que c'est chaud. Tu as faim ?

Je déglutis, incapable de répondre. Je cherche à dissimuler ma gêne dans le verre, mais j'avale trop vite et le liquide me brûle la gorge. D'un geste, mon père désigne un tabouret. Je prends place. Nous voilà, face à face, vingt ans plus tard. Dans sa jeunesse, mon père aurait pu incarner les seconds rôles de films d'aventures, ces grandes gueules attachantes à forte carrure qui succombent à la dernière escarmouche, en sauvant le héros. Du genre qui s'embellit en vieillissant. De son passé héroïque, n'ont survécu que ses yeux bleus et sa mâchoire carrée, capable, à elle seule, de parler pour tout le visage. Le reste s'est affaissé, les oreilles, le nez, les joues sont grêlées, et par endroit, couvertes de petites croûtes grises.

— Antoine est mort, dis-je.

— J'ai appris… Je l'aimais bien, le petit.

Puis, le timbre traînant :

— Je n'ai pas pu venir à la cérémonie.

L'inquiétude ne quitte pas ma poitrine. Ma salive cliquète au fond de ma gorge. Mon père mendie une dernière bouffée à sa cigarette, et l'écrase sous son pouce, au fond du cendrier. Il pose les yeux sur moi.

99

— Qu'est-ce que tu deviens, Simon?

Il fait jouer ses phalanges. M'excuser serait ridicule. On ne justifie pas une telle absence. Je ne saurais par où commencer. Je suis parti, c'est vrai, mais pourquoi serais-je le fautif? Mon père me propose une cigarette, je refuse du bout des lèvres. Tandis qu'il tasse une Gitane contre le dos de sa main, son regard s'attarde sur ma chemise déchirée, les griffures de mon avant-bras, mes ongles noirs. Une honte inattendue me submerge. Qu'est-ce qui m'a pris de revenir ici? Incapable de contenir plus longtemps le tremblement de mes jambes, je me lève et me précipite vers la porte d'entrée, manquant de renverser une plante grasse – une chance si je ne claque pas des dents. Je retrouve mon souffle de l'autre côté du portail. En fin de compte, pensé-je en rejoignant la route, cela ne s'était pas si mal passé. Peut-être pour m'en assurer, je jette un regard vers la maison, m'attendant à apercevoir la silhouette de mon paternel sur le seuil. Personne. Cette fois encore, il m'a laissé partir.

Chapitre 11

Je retrouve sans mal le chemin qui mène chez Sarah. Le soleil indique les alentours de onze heures. La chaleur est pénible. *En Trotoco. Borde Vieille. Le Conté. En Sigaudes. Al Roupent. En Rodolosse.* Les noms des lieux-dits dessinent une géographie familière. Pour distraire ma soif, j'énonce à haute voix ces syllabes parcourues de «o» vibrants, ouverts aux courants d'air. Ici, les voies de traverse ne se prennent pas au sérieux – même goudronnées, elles n'oublient pas qu'elles furent des repaires de détrousseurs et de contre-bandiers, et ne connurent, en guise d'attelage, que chevaux de trait et sabots crottés. L'histoire n'était pas si loin, et si vous prêtez l'oreille, vous l'entendrez cahoter derrière, à dos de mulet. Je filais parfois en douce, à l'heure de la douche, pour parcourir ces raccourcis buissonniers. Ici, l'amandier nain, dont je cassais les fruits sous une pierre, plus loin, les bambous tranchants, avec lesquels j'avais construit mon premier arc, ou ces ronces, qui, à l'été, fleurissent de baies sucrées et charnues, et colorient la langue.

Une chance, les chemins verfeillois sont peu fréquentés. Mes haillons éveilleraient les soupçons. Pourvu que Sarah ne soit pas chez elle. Je n'ai aucune envie de commenter les événements de la veille. La Clio patiente à l'endroit où je l'ai abandonnée. Deux poules picorent autour des roues. En me glissant dans l'habitacle humide, je me souviens que j'ai laissé l'urne funéraire en haut du bahut. Les volets sont ouverts, la porte est close. Un grand dogue blanc bondit à ma rencontre, secoue la queue, visiblement, nous nous connaissons. Il m'entraîne vers l'étable, en poussant des aboiements impatients.

Sarah est assise de dos, sur un tabouret à trois pieds, occupée à traire une limousine. Elle porte un T-shirt à manches courtes, sa salopette du premier jour, des bottes en caoutchouc jaune. L'étable sent le lait chaud et la paille. Ses doigts courent le long des pis humides, la tension se propage dans ses avant-bras, gagne ses omoplates. Un bandana retient ses boucles. «Sarah», commencé-je, mais il y a un tel boucan qu'elle n'entend pas, alors, je répète, plus fort : «Sarah, je suis venu récupérer Antoine.» Cette fois-ci, elle pivote sur son tabouret, se lève, s'approche. Récupérer Antoine, reprend-elle, en décollant son T-shirt moite de sa poitrine, du bout des doigts. Je respire son haleine de café noir. J'attire à moi son bassin, et je l'embrasse – un baiser simple, naturel, celui que l'on donne à sa compagne en rentrant du travail. Je crois qu'on s'est mal compris, dit-elle, ou peut-être qu'elle ne dit rien. Je bafouille une excuse qu'elle interrompt d'un sourire.

— On se détend, c'est la première chose à peu près normale que tu as faite depuis ton arrivée. (Elle observe mon accoutrement, grimace.) Viens, tu as besoin d'un café.

Dans l'entrée, mon confident empaillé de la veille me jette un regard sévère. Je demande à Sarah si elle n'a pas une aspirine ou de la codéine, elle préfère l'homéopathie. Elle dépose la *machinetta* italienne sur le brûleur.

— Maintenant, raconte-moi ce qui t'est passé par la tête, hier soir.

— J'ai eu envie de me dégourdir les jambes. J'aime bien courir sous la lune.

Sarah grimpe sur la pointe des pieds, descend l'urne du placard avec précaution, et me la tend.

— Je parle de ton discours.

Mon discours, forcément. Je ne me souviens plus des termes exacts, mais je me rappelle une inquiétude, une colère.

— La vérité. La vérité m'est passée par la tête.

— Tu dis toujours ce que tu penses ?

— En règle générale, jamais.

Antoine était mon ami. Ensemble, nous avons menti, volé, et juré de ne jamais nous trahir. En grandissant, Antoine a changé. C'était peut-être inscrit dans ses gènes, la faute à son père ou à sa folle de mère. Son caractère a éclos tardivement. Pourquoi jouer la comédie ? Je lui dois au moins cette vérité. Non, Antoine, tu n'es pas devenu un type attachant. Tu n'as jamais appris à t'aimer, et tu n'as pas cherché à aimer les autres. Seule ma mère

103

échappait à ton opprobre. Quand vous chuchotiez sous le grand figuier, je me demandais parfois si ce n'était pas de moi que vous vous moquiez. Mais une mère ne ferait pas ça – enfin, je crois. Le café crachote. Sarah le retire de la gazinière.

— Comment ça s'est passé avec ton père ?

Sarah fait mine de ne pas remarquer ma surprise.

— C'est moi qui l'ai prévenu. Je ne voulais pas qu'il te tire dessus, en te voyant approcher. Tu es désagréable, mais il y a des limites.

Elle rit. À cet instant, le dogue bondit sur ses pattes, museau aux aguets. La poignée de l'entrée tourne et je me retrouve nez à nez avec un géant aux sourcils broussailleux.

— Rodolphe, mon fiancé, précise Sarah. Vous avez discuté, hier soir.

À ma vue, Rodolphe s'exclame, m'entourant de ses bras musculeux :

— Quelle mine de déterré, mon vieux ! Écoute, pour hier, n'y pense plus : je leur ai expliqué. Le deuil libère des trucs bizarres, c'est chimique tout ça... On en parlait encore avec Dédé, à la Source, ce matin.

Je prétexte un rendez-vous, et m'éclipse, l'urne sous le bras. J'ai mis le contact lorsque Sarah surgit, et penche le visage à l'intérieur de la voiture.

— Des gens ont posé des questions, hier soir. Certains connaissaient ton histoire.

— Quelle histoire ?

Elle lève les yeux au ciel, expire.

— Les bruits courent vite dans le coin. Je voulais juste te prévenir.

— C'est gentil, à bientôt Sarah.

Mes mains, sur le volant, laissent une empreinte moite. J'ai emménagé en ville par goût de la solitude. On y croise des gens sans jamais les rencontrer. On ne côtoie que leurs ombres, leurs odeurs parfois. À la campagne, on a de l'espace, mais on n'est jamais seul. L'autre est identifié, il est marchand de légumes, cafetier, cocu, l'un reluque les gamines, celle-là a le cœur sur la main, celui-ci est orphelin. Le voisinage a un visage, un prénom. La cordialité est intrusive et elle a des questions. Verfeil veut savoir pourquoi Simon est rentré, et ce qu'il s'est véritablement passé cette nuit de juillet.

Chapitre 12

L'urne repose sur le siège avant, à la place du mort. Je lui ai passé la ceinture de sécurité autour du ventre, sans cesser de la retenir. Je progresse à trente à l'heure, incapable de la moindre pensée. Un sentiment de malaise enrobe mon cœur jusqu'à la maison d'Antoine. La douche, froide, ne parvient pas à apaiser le tremblement de ma main droite. Je passe des habits propres, une chemise un peu courte et rêche, dénichée dans la penderie, et avale un Xanax avec le café soluble, en regardant le chat grignoter une biscotte imbibée de lait. Laura est sur répondeur. Je m'allonge un instant sur le canapé. Mes oreilles bourdonnent. J'imagine un rat albinos, prisonnier d'une gouttière. Son corps obèse se contorsionne au fond du goulot métallique. Ses griffes crissent contre l'aluminium. Réveil en sueur. Je fouille dans ma trousse en cuir, croque trois comprimés de Modiodal, de quoi tenir sans m'assoupir. Je n'aurais pas dû revenir. Laura est toujours injoignable. Qu'est-ce qu'elle peut bien faire ? Je décide d'attendre la nuit pour enfouir les cendres d'Antoine dans son jardin.

La lune est haute. Un cercle de pierres rappelle les limites d'un ancien puits, désormais comblé. Je m'accroupis dans l'herbe, l'urne contre mon torse. Le couvercle, délicatement soulevé, libère un soupir. Un vent léger agite le col de ma chemise. Je prélève une pincée de cendres. Je fais jouer les poussières argentées entre mes doigts quand retentit un nouveau soupir, suivi d'un râle bref. Je replace précipitamment le couvercle sur son support. Le silence. J'observe le vase funéraire, soupçonneux – un cri retentit. Je lève la tête. À quelques mètres, de l'autre côté des laurières qui séparent la maison d'Antoine de celle de son voisin, deux corps entrelacés se tordent et s'essoufflent. Arrête, arrête Francis, il y a quelqu'un... T'inquiète, répond une voix d'homme, tout le monde dort, à cette heure-ci. Je regagne la maison, le dos courbé.

Il est minuit lorsque je gare la voiture, feux éteints, à plusieurs dizaines de mètres du portail. J'accomplis à pied le reste du chemin. Une lune pâle se borne à rendre l'obscurité visible. Mes parents ne fermaient jamais le verrou de la porte de derrière, je n'ai jamais compris pourquoi : dans les films, les tueurs pénètrent toujours par là. Un chien signale ma présence au voisinage. Il ne faudrait pas que mon père me confonde avec un rôdeur. Comme prévu, le verrou n'est pas tiré, je me faufile sans peine dans la buanderie. Le parfum de lessive a disparu, remplacé par une odeur de serpillière humide. La chaudière chuinte. Je pousse la porte. Les couloirs de la maison sont silencieux. Mon père ronfle à l'étage. Sa respiration est régulière. Avec un peu de chance, il a bu. Alors, sans bruit, je m'approche de la chambre de mon frère. Je glisse ma main droite dans la poche de mon pantalon pour l'immobiliser.

Son prénom a été préservé, trois lettres en bois peint achetées dans un magasin de jouets en bois de Foix, dont on rapporte toujours un Pinocchio verni ou ces girafes «push up» qui flageolent sur leurs pattes quand on les chatouille. La poignée cède, glacée. Benjamin est allongé par terre, sur le tapis «Objectif Lune». Il passe des journées entières dans cette position, à ne rien faire, à penser, ou jouer aux Playmobil. Benjamin est venu au monde avec une constitution fragile. Certains matins, il a des crampes à l'estomac si violentes qu'il ne parvient pas à se lever. La maladie n'a pas de nom, son être a mal ; c'est sans doute pour cela qu'on parle de mal-être. Mon père est persuadé qu'il a besoin de sortir, de «se coltiner la réalité, ce n'est pas en l'entourant de coton qu'il va guérir» ; réaction qui a le don de rendre ma mère furieuse. Elle connaît la mélancolie qui froisse le regard de son fils. Elle le protège de tout ce qui peut le blesser. Mais il l'est par tant de détails improbables, les larmes d'une petite fille, la vieillesse, une église en ruine. Benjamin éprouve envers son prochain une empathie démesurée, inconsolable. Il s'attarde sur les jolies choses, une libellule en vol stationnaire, ou ce tronc mort, sur lequel vient d'éclore une fleur pâle. Il n'est jamais prudent de croire en la beauté du monde.

La chambre, propre et rangée, a échappé au processus de vieillissement du reste de la maison. Le temps est resté à la porte. Mon père avait donc poursuivi la tâche de ma mère ; protéger le souvenir de Ben, servir sa mémoire. La demeure pourrait s'écrouler, le mausolée lui survivrait. Mon esprit dresse l'inventaire de ce qui l'entoure. Le lit. La couette Marsupilami. La mappemonde. Des maquettes. Une, deux, trois, quatre peluches. La console Mega Drive que je lui avais donnée. Sur les étagères : dinosaures en file indienne, magazines animaliers, bandes dessinées (Tintin, Valérian, les Tuniques bleues), une douzaine de carnets de dessins Clairefontaine (gondolés), et même trois crayons à mine de plomb tout neufs. L'aquarium, vide, avec ses rochers factices, et le petit tunnel qu'affectionnait Roger le poisson rouge, quand il se cachait. Et aussi, un scorpion sous inclusion plastique. Sa collection de minéraux et fossiles. Au mur, un poster de Zidane, qui avait encore des cheveux. Un ami le lui avait offert. Comme ce ballon de la FFF dont il ne s'est jamais servi, et qui trône, flambant neuf, sur son socle. Autant de concessions à son âge. Quand la France a gagné la Coupe du monde de foot en 1998, j'ai pensé : Ben ne le saura jamais. Il s'en serait moqué. Ben dessine. Il se débrouille bien, maman est fière, il sera peintre ou musicien, comme son grand-père maternel. Elle l'a décidé, on ne conteste pas ses décisions.

La nouvelle m'avait été annoncée un mercredi, en fin d'après-midi. Assieds-toi, mon fils. Mon père s'est débarrassé de son tablier plastifié – il venait de donner naissance à un veau, baptisé Tempête, parce qu'on était dans l'année des «t», et qu'il avait la tête ébouriffée – et a ouvert une bouteille de vin mousseux. J'avais dix ans et des poussières, j'ai eu le droit de boire une flûte entière. Mon père a pris une voix grave et joyeuse.

— Simon, nous voulions te dire... Tu vas avoir un petit frère.

J'ai souri bêtement et j'ai dit «c'est super». L'enfance venait de me filer entre les doigts, et je ne me suis pas rebellé. La vérité, c'est que j'avais fini par ne plus y croire. Dix années de pèlerinages médicaux à Purpan, Rangueil, de spécialistes, à Montpellier et Paris, de FIV, d'espoirs en fausses couches. Il en faisait bien des manières, pour un spermatozoïde. Demeurer enfant unique ne m'aurait pas gêné. J'ai attendu que mes parents se couchent pour terminer la bouteille, et je suis allé vomir au pied du pommier.

Grand frère, quel concept étrange. En somme, on te demande d'aimer d'une façon inconditionnelle un inconnu venu au monde dans un seul but : empiéter sur ta vie, piétiner ce que tu as construit péniblement, cette fragile architecture de pleurs, de colères et de compromis. Tes parents te promettent de t'aimer toujours autant. Ils mentent, bien entendu, mais ils n'ont pas le choix. Tu fais semblant de les croire. Rien, désormais, ne sera jamais plus comme avant.

Le têtard est venu au monde, à moitié aveugle, plus fripé qu'un vieillard. Je n'avais jamais vu un bébé d'aussi près. Sa petite chambre bleue l'attendait. Grand-père lui avait confectionné un cheval à bascule en bois de cerisier, avec une vraie selle en cuir, et de charmants petits étriers. Il disait que quand Benjamin aurait l'âge de l'utiliser, lui serait peut-être mort, alors mieux valait prendre les devants. Les premiers temps, des gens passaient s'extasier au-dessus du berceau, pendant que je dévorais la tarte aux pommes ou les pâtes de fruits qu'ils avaient apportées. Trois mois plus tard, les nouvelles se prenaient dans la queue de la boulangerie, ou au supermarché. Ma mère affichait son sourire fatigué-mais-ravi. Mon petit frère, en coulisses, grandissait sur la pointe des pieds. Tant et si bien qu'un jour, je me suis réveillé, et il parlait.

Il révéla très jeune de singulières capacités, et un amour pour les mystères de la nature qui ne cesserait de croître avec les années. À quatre ans, il dessinait mieux que moi. À six, il égalait Antoine. Les carnets de Benjamin abritaient un bestiaire champêtre, grillons, hérissons, chauves-souris, libellules. Il s'inspirait parfois de vieilles gravures, déni-chées dans les encyclopédies à tranche argentée de mes parents. Son sujet favori demeurait un grand papillon aux ailes tigrées, avec lequel il s'était lié d'amitié. Le Flambé se posait sur ses doigts, voletait autour de ses oreilles. Il prenait parfois la pose sur le rebord de la fenêtre, écartait ses ailes, dressait les antennes, fier comme Tartarin. Un soir, j'entendis Sans-Nom suffoquer dans le garage. Sans-Nom était un vieux matou sans âge, couturé de cicatrices. Ce n'était pas la première fois qu'il peinait à avaler sa proie (il avait manqué de succomber à une croquette). Je ricanai jusqu'à ce que mon regard croise le visage blême de Benjamin : « C'est Flambé… » Le papillon est gros, le chat âgé, ses canines émoussées. Il peinait à déglutir. On sentait bien qu'il regrettait. C'est farineux, un papillon. Le vieux félin avait son orgueil, il ne pouvait plus mordre, mais n'en démordait pas. « Fais quelque chose, Simon… », a murmuré mon frère, tétanisé. Le chat penchait la tête sur le côté, pour offrir une meilleure prise à ses mâchoires. Flambé ne se débattait plus. « Fais quelque chose… » Sans-Nom a fini par recracher le papillon, en lambeaux. J'ai consolé Benjamin, « ne t'en fais pas, je t'offrirai un poisson rouge ». Benjamin a déposé le cadavre de son papillon à l'intérieur d'une boîte d'allumettes, sur un lit de pâquerettes.

— Viens, on va jouer au basket.

— Je suis occupé.

— Au foot alors.

J'attrape son ballon sur l'étagère, commence à jongler dans sa chambre. La balle rebondit à côté de sa tête, Ben l'écarte avec nonchalance.

— Fais attention à l'aquarium…, marmonne-t-il sans se retourner.

— La prochaine fois que tu me demanderas de t'aider pour tes devoirs, j'aurai d'autres choses à faire.

— Je ne te demande jamais.

Benjamin ne me demandait jamais rien. C'était précisément le problème. Ce garçon se suffit à lui-même, s'émerveillaient les adultes. Sa tranquillité m'irritait. Benjamin me tolérait en périphérie de son existence, mais trouvait que j'étais bruyant, que mes amis étaient sales, ou mal élevés. Il quittait la pièce quand je montais le son de la télé, les soirs de match ou devant *Conan le Barbare*. J'enviais son indépendance, et les sentiments qu'il inspirait aux autres. Antoine et lui passaient des heures à bavasser dans le jardin ou ramasser des cailloux, construire des barrages contre rien, ils fourmillaient d'idées ridicules, sur lesquelles ils étaient capables de s'enthousiasmer des week-ends entiers. Je n'étais pas un mauvais frère, seulement j'entrais dans un âge où on s'épuise à lutter contre soi-même, et mes molles tentatives de réconciliation échouaient. Je ne devais pas avoir le bon ton, ou le timing adéquat. Un petit frère, c'est censé être fasciné par son aîné, non ? Pas celui-là. Mes parents avaient pondu un original. Une tête de mule d'artiste.

— Ce n'est pas une raison pour qu'il reste enfermé toute la journée ! grondait mon père. Faut qu'il prenne le soleil ! Demain, l'artiste, je l'amène à la chasse.

Chaque automne, revenait l'oiseau bleu. Les palombes migratrices, que les rudes hivers indisposent, descendent vers des températures plus clémentes, aux abondantes ressources alimentaires. Rome avait son aigle, Verfeil son pigeon ramier. Le volatile mythique comptait un tel nombre d'admirateurs, qu'il fallut leur inventer un nom, les paloumayres. Ces paloumayres aimaient tant leur oiseau qu'ils ne pouvaient s'empêcher de le truffer de plomb dès qu'apparaissait sa tendre collerette, c'était plus fort qu'eux, mais attention, pas n'importe comment : chasser la palombe est un « crime d'amour », exécuté selon des règles précises. Quiconque y dérogerait se verrait exclure de la communauté. Il y a des choses avec lesquelles on ne plaisante pas dans le Sud-Ouest, et la *Columba palumbus* en est une.

Nos bottes s'enfonçaient dans la terre meuble, qui alourdit tellement les semelles qu'on la dit amoureuse. Mon père aimait pratiquer cette chasse à la cime des arbres, se coulant dans l'ombre des futaies pour rejoindre les tours de guet reliées par des tunnels camouflés de fougères, que l'on parcourt, le dos voûté, rampant presque, sur les sols de boulbène, humides et gras. J'avais dix-sept ans, ce n'était pas ma première chasse, mon père m'avait appris à déposer les filets, mais cette fois-ci, il me laisserait tirer. Ben suivait, rêveur, enivré par l'odeur de l'argile moite. Mon père lui avait promis biches et sangliers, alors, son carnet serré contre son torse, il traquait, cœur battant, l'infime bruissement des sous-bois. Le paternel, impatient, s'est hissé jusqu'à la plate-forme de tir, installée à dix mètres de hauteur. Les chasseurs s'y retrouvaient dès l'aube, avec pâté, pain de campagne et caisses de gros rouge. Nombre d'entre eux finissaient par y voir trouble, et passaient la journée dans les cimes. Benjamin avait pour consigne de patienter au pied de l'arbre, avec le vieux Gilbert, un roucoulayre professionnel, un peu poivrot, trop âgé pour l'altitude. Trois volatiles se posèrent sur une branche voisine. Je les mis en joue, et tirai. Quand nous sommes redescendus, Gilbert ronflotait, et Ben avait disparu.

Benjamin ? La voix de mon père se voulait rassurante, mais son visage, mangé de tics, trahissait le contraire. Mon frère nous attendait dix mètres plus loin, assis en tailleur. Contre son cœur, l'oiseau blessé avait remplacé son calepin. Un instant, j'ai cru qu'il avait été touché, une empreinte rougissait son T-shirt. La palombe agitait une aile mécanique, l'autre avait été déchiquetée. Marius s'approcha de lui, doucement. Tu nous as fait peur. Ben n'a pas levé la tête. Il cherchait à maintenir la tête de l'oiseau droite, tout en caressant le poitrail écarlate, de l'intérieur du pouce. Il est mort, a dit mon père. Viens, Benjamin, on rentre. Mon frère a ignoré la main que je lui tendais. Il a enfoui le cadavre dans son sac à dos, et s'est relevé sans un mot.

— Le petit n'est pas fait pour ça, a gronchonné Marius, en rentrant à la maison.

Mes parents ont laissé Benjamin enterrer l'oiseau bleu au fond du jardin, sous le noisetier que Marius avait planté pour sa naissance. Nous avons tous assisté à l'enterrement, en grande pompe, avec poème, dessin, et croix miniature en allumettes. Mon père n'était pas un fou de la gâchette. Il a continué à se rendre à la chasse aux canards sauvages, s'en aller « nettoyer le ciel », mais il n'est plus jamais retourné à la palombe.

Je m'éveille, allongé en travers du lit de Benjamin, les joues collantes. Mes pieds dépassent du matelas. Le jour s'est levé. Une clarté têtue inonde la pièce. Au creux de ma main, une boîte d'allumettes écrasée. Des éclats de rire me parviennent du salon. Le timbre rugueux de mon père. Une femme lui répond. Je me redresse sur mes coudes, cœur battant. Je connais cette voix.

Chapitre 13

Je pénètre dans la cuisine au creux d'un silence. Attablés devant un café, Laura et mon père grignotent des biscuits secs. Leurs tasses ont tracé des croissants sur la table, que mon père essuie du revers de sa manche.

— Je constate que vous avez fait connaissance, dis-je.

Laura me sourit. Mon père se raidit.

— Tu es entré dans la chambre de Benjamin.

Mon premier réflexe est de nier, je me ravise.

— Je n'ai touché à rien.

Le silence s'est épaissi. Il a la saveur des colères figées, qui ont baigné trop longtemps dans la solitude et, connaissant mon paternel, le pastis et la vodka. Il se lève et quitte la pièce. Je l'entends tourner une clé, la retirer. Laura m'interroge du regard.

— Ne te formalise pas pour mon père…

— Pas du tout, il est charmant.

— N'exagère pas non plus.

Je verse un peu de café dans un verre à moutarde et

m'assieds à côté d'elle. Elle passe le dos de sa main sur ma joue.

— Comment as-tu su où j'étais?

— J'ai rappelé Sarah.

Évidemment.

— Viens, sortons petit-déjeuner. Je meurs de faim.

Nous flânons, en touristes désœuvrés, le long des douves. La promenade, si elle n'était si courte, pourrait prétendre à une notule dans le Guide Vert Michelin. Il y a même un restaurant étoilé, La Promenade, un fromager affineur et des commerces de décoration intérieure, lampes vintage et bougies parfumées. Laura déborde d'une énergie suspecte. Elle parle beaucoup. Elle veut connaître la date de construction du château, et pourquoi le clocher de l'église n'a qu'un étage. Je n'en sais rien. Ils manquaient d'argent, peut-être, ou d'imagination. Une tourterelle s'envole. Le ciel tire sur le gris. L'air est lourd, déjà.

— Pourquoi es-tu venue, Laura?

— Tu as de ces questions! Ce sont les vacances scolaires, et je n'ai rien à faire. Alors, plutôt que de rester à Paris…

Je cesse d'avancer.

— Je veux dire: pourquoi es-tu *vraiment* là, Laura?

En guise de réponse, elle s'assied sur le petit muret qui délimite le terrain de pétanque, et sur lequel s'alignera, à la tombée du jour, une armée de bérets et de cochonnets. Avec l'été, ce rectangle de poussière de 4 mètres sur 15 se convertit en haut lieu de la sociabilité verfeilloise, l'indispensable agora des rumeurs. Je m'installe à ses côtés.

— L'autre jour, à Cherbourg, tu t'es précipité dans la gare sans m'adresser un regard. Tu courais presque, tant tu étais pressé. Il pleuvait, j'avais froid, j'étais seule. Pourtant je me suis sentie soulagée que tu partes. Notre vie m'a semblé soudainement absurde.

Un vieillard passe, presque immobile, le corps tordu comme une racine. Ses semelles frottent le goudron. Chacun de ses pas boit le peu de temps qu'il lui reste.

— J'ai voulu croire à un moment de mélancolie, poursuit-elle, le regard dans le vague. Ton départ pouvait être notre chance. Il nous offrirait une respiration bienvenue. Mais voilà : mon petit brouillard intérieur ne s'est pas levé. Je ne me suis confiée à personne, je n'ai pas non plus bâillonné mon sentiment. Il m'est trop souvent arrivé de le faire.

Laura reprend sa respiration.

— Je ne suis plus heureuse avec toi.

Il aura donc suffi que je renoue avec ma vie ancienne, pour que la nouvelle décide de me chasser.

— Tu viens de perdre un ami, j'en suis désolée, mais il m'était impossible d'attendre, poursuit-elle. Tu trouves parfois que je mets trop de mots dans mes pensées. Que la vie est plus simple, envisagée au jour le jour. C'est au-delà de mes forces. La vie ne sert à rien si elle ne va pas quelque part. Je ne sais pas où nous allons, Simon.

Laura prend ma main entre les siennes.

— Je ne te rends pas responsable de ce qui nous arrive.
Ce que tu reproches à mes amis, je le leur reproche aussi.
Oui, Bastien me drague de façon maladroite, c'est pénible
et irrespectueux. Pourquoi ne l'as-tu jamais remis à sa
place ? Tu trouves notre vie étriquée, rébarbative, ne nie
pas s'il te plaît. Tu ne comprends pas comment je peux
consacrer autant de temps à des gosses que je ne reverrai pas l'année suivante. Un jour, tu m'as dit que c'était
comme jeter de l'or au fond d'un puits. La plupart du
temps, tu es silencieux. Je m'épuise à déchiffrer tes regards,
à interpréter tes silences. Le moment est venu de parler.

Laura a plongé son regard dans le mien. Je lui dois une
réponse, sans doute.

— De combien de temps disposons-nous ?

— Très peu.

Dans un souffle, elle avoue :

— Je suis enceinte.

À nos pieds, un couple de pigeons frictionne gaiement
ses ailes dans le sable. Je demeure, bouche bée, les oreilles
brûlantes, comme si on venait de les claquer à deux mains.

La Source, à cette heure, est déserte. Le patron
gratte un jeu sur le comptoir. Il lève à peine les yeux
lorsque nous nous installons à la table la plus éloignée
du bar, contre une vitre trouble. Nous ne parlons pas.
J'ai pris Laura dans mes bras, je l'ai serrée, si fort qu'elle
n'a pas eu le loisir d'étudier l'expression de mon visage.
Laura a accepté mon étreinte, le corps un peu raide, et
nous sommes demeurés l'un contre l'autre, amoureux

maladroits du terrain de boule. Laura se tient prête à me quitter. Elle attend que je l'en dissuade. Laura porte notre enfant. Je ne suis *plus* heureuse avec toi. Elle l'a donc été. Ces informations s'entrechoquent sous mon crâne. Un ado au cou interminable dépose devant nous une baguette coupée horizontalement, deux cubes de beurre congelé et de confiture gélifiée. Laura attend qu'il se soit éloigné pour évoquer sa santé, tout va bien pour l'instant. Nous devrions bondir de joie, nous enlacer, annoncer la nouvelle à des inconnus, tournée générale, patron ! Je me contente d'avaler un Xeroquel, réservé aux réveils angoissés et aux nuits d'insomnie. Deux ans déjà que patiente Laura. Son désir, avec l'âge, a tourné à l'obsession. Nous avons même consulté un psychiatre : elle ne supportait plus l'idée de ne faire l'amour que pour se reproduire. Je me tourne vers elle, à temps pour l'entendre conclure :

— Que proposes-tu, Simon ?

J'ai l'habitude de me composer un visage : à cet instant, le mien doit ressembler à ces clichés sur lesquels le sujet sourit à contretemps. Je n'ai rien à dire, ni à proposer, si ce n'est de quitter sur-le-champ cet endroit sordide. Je m'étais habitué à l'éventualité d'un enfant sans y croire, ou de loin, comme s'il ne nous avait pas été permis d'espérer autre chose que de petits bonheurs fugaces. Je mâchonne une formule d'urgence, un *placebo oratoire*, quand surgit l'ado au cou de girafe. La carafe en grès blanc qu'il pose devant nous a la forme exacte, ventrue, de l'urne d'Antoine. Un rire nerveux me secoue. Laura me dévisage, glaciale.

— Tout va bien?

Je vais être père. Tu veux partir. Étrange question. À quel moment le grand architecte qui veille d'un œil morne sur nos destinées a-t-il décidé de s'intéresser à Simon Reijik? Je ne lui en demandais pas tant.

— On devrait rentrer à Paris, dis-je.

Laura plisse les yeux.

— C'est marrant cette capacité que tu as de fuir, dès que quelque chose menace ton petit biotope intérieur.

De l'ongle, elle décolle une saleté incrustée dans la table, et repousse son assiette.

— Il n'arrive peut-être pas au bon moment. Je ne suis même pas sûre d'être à la hauteur. Ou d'avoir compris ce que cela impliquait. Seulement voilà, maintenant, il est là, entre nous, et nous devons prendre nos responsabilités.

— Tu désires donc le garder.

Ma réplique projette le corps de Laura contre son siège. Elle rougit comme si je venais de la gifler.

— Tu es sérieux? articule-t-elle, la gorge nouée.

Je suis terrifié, voilà la vérité. Ton histoire personnelle ne t'a-t-elle donc rien appris? Nous sommes destinés à reproduire inlassablement nos fautes. Bien entendu, je l'aimerai cet enfant, de toutes mes forces disponibles. Mais que valent les professions de foi, quand le destin dérape? Un doigt toque à notre table. Je sursaute.

— Ma parole, c'est bien lui! Qu'est-ce que tu deviens?

Mon regard croise le visage empâté du patron. Laura

détourne le sien avec dépit. Les traits de l'homme ne m'évoquent rien. Il frappe dans ses mains, dos contre paume.

— J'ai eu un doute l'autre jour, quand t'as demandé le téléphone. Et puis, on a parlé d'un mec de Paris, un drôle de type. Tout de suite, ça a fait tilt. Reijik. (Il tape de nouveau sur la table.) Un sacré bail, hein?

Je serre sa grosse main humide, par politesse. Constatant mon incapacité à l'identifier, il ajoute gaiement:

— Yannick Sabot, vieux! On jouait au foot ensemble!

Yannick Sabot, un nom pareil ne s'oublie pas, gardien de but, dans l'équipe des benjamins. J'étais arrière droit, je m'ennuyais à mourir, appuyé sur le poteau. Pour passer le temps, on s'insultait copieusement. Un jour, trop occupés à nous taper dessus dans la boue, on a encaissé un but. Cet épisode devait sceller ma carrière de footballeur. L'entraîneur, un certain Gomez, m'a lancé un «petit con» entre deux dribbles, et mon père, très à cheval sur le français, est venu lui mettre son poing entre les yeux à la sortie du vestiaire. Je présente Laura qui se lève aussitôt.

— C'est pour moi, fait-il, en agitant la main vers les assiettes, intactes. De retour au pays?

— Je suis venu pour un enterrement.

— Oui, oui, ça je sais. Paraît même que tu as un peu forcé sur la bouteille l'autre soir.

Un clin d'œil, son visage s'embrunit.

— Puisqu'on est entre nous, hein, je voulais te dire que c'était moche, ce qui s'est passé… Je suis pas comme les

123

autres, hein, à raconter des trucs par-derrière. J'dis juste, c'est la faute à pas d'chance, le destin, quoi.

Il s'éclaircit la voix.

— Et si t'as besoin d'un truc, n'importe quoi vraiment, ou si tu veux juste passer boire un coup, tu connais l'adresse.

Sabot nous escorte jusqu'à la sortie. Laura ne me quitte pas des yeux.

— Bah, ça m'a fait rudement plaisir de te voir! Et puis, t'oublieras pas de saluer ton vieux, hein, c'est un peu grâce à lui qu'il tient, ce bistrot...

Il s'esclaffe. Je me souviens pourquoi je prenais tant de plaisir à essuyer mes crampons sur ses cuisses. Nous revenons vers le terrain de boules, le long duquel j'ai garé la Clio. Des affiches vertes annoncent la date du «trail du cassoulet» – et les lots gargantuesques, brouette garnie (valeur 320 euros), cuisse de bœuf (150 euros).

— Qu'est-ce qu'il voulait dire avec cette histoire de destin?

— Peu importe. Je vois à peine qui c'est, ce type.

— Lui se souvient bien de toi.

Nous prenons place dans la voiture.

— Ton père m'a proposé le gîte pour la nuit, j'ai accepté. Ça t'évitera de t'introduire chez toi comme un voleur.

Le trajet s'accomplit en silence. Laura garde la tête tournée vers la vitre.

À notre retour, nous surprenons mon père, dans la

cuisine, affairé à remplir de grands sacs-poubelle, dont dépassent des goulots de bouteilles. Il se redresse aussitôt qu'il nous aperçoit. Ses longs bras m'évoquent les ailes maigrichonnes des vautours. Quelque chose, sur son visage, a changé, une expression, ou une attitude.

— Vous vous êtes coupé les cheveux? s'enquiert Laura.

Mon père rosit un peu.

— Ça vous rajeunit.

— Appelez-moi Marius, mademoiselle.

— À condition que vous m'appeliez Laura.

J'ai besoin de prendre l'air.

Quelques pas dans le jardin me mènent au figuier sous lequel nous nous précipitions, quand ma mère lançait le jeu du «majordome». À son signal, chacun attrapait son assiette, ses couverts, une miche de pain, et courait se réfugier sous l'arbre. Le dernier arrivé devenait «majordome»; à charge pour lui de servir les autres. Un dimanche, exalté par nos encouragements, mon père en avait égaré le poulet rôti. Il s'était carapaté dans les buissons. Je vais donc être père, à mon tour. La phrase résonne comme une mauvaise plaisanterie. Elle n'éveille en moi aucune réalité concrète.

— Simon, tu m'entends?

Autour de nous, les grenouilles ont cessé de coasser, les grillons se sont tus. Je n'entends que toi, Laura. Tu as pleuré?

— Ton petit frère... Tu comptais m'en parler un jour?

Je n'y ai jamais vraiment réfléchi.

— Je ne sais pas, Laura.

125

La veine de son cou palpite, anormalement gonflée.

— Que s'est-il passé?

— Un accident de voiture.

— Il avait quel âge?

Moi, d'une voix enrouée:

— Huit ans.

Ce soir-là, la chaleur est irrespirable. Mon T-shirt trempé. Qu'est-ce qu'il trafique encore? On va se mettre en retard. Les autres élèves sont déjà sortis. Mon frère tarde. Toujours le dernier, Benjamin. Il aime que ses crayons soient bien ordonnés. Combien de fois je lui ai conseillé de préparer sa trousse avant la sonnerie! Ah, j'ai parlé trop vite, le voilà qui s'avance, en grande discussion avec une fille. Il sourit, elle minaude, ils se séparent devant le portail. Je lui saute dessus. C'est ton amoureuse? Elle s'appelle comment? Je vais en parler à maman! Il hausse les épaules, rougit, Aurélie, ne dis rien s'il te plaît, de toute façon, j'ai pas d'amoureuse. Viens, moi j'ai une surprise pour toi. Antoine patiente de l'autre côté de la rue, au volant de la Clio de ma mère. On attend que Ben s'installe sur la banquette arrière pour lui annoncer la nouvelle. Il garde la bouche ouverte, il n'en revient pas.

— Antoine venait d'avoir son permis. Nous sommes partis tous les trois au ciné, à Toulouse, pour son anniversaire… La brume nous a surpris au retour. La voiture a dérapé.

Les derniers mots s'étranglent au fond de ma gorge.

— Benjamin ne s'est jamais réveillé.

Laura se mordille la lèvre, peut-être regrette-t-elle son discours de tout à l'heure, elle cherche des mots qui n'existent pas, ou estimant qu'ils ne servent à rien, ouvre ses bras, et d'une main, caresse ma nuque. Pauvre enfant, chuchote-t-elle. Pauvre enfant. Je me demande si elle parle de lui ou de moi. Derrière la fenêtre de la cuisine, mon père nous observe, cigarette au bec.

Chapitre 14

De l'extérieur, on pourrait croire au dîner tardif d'une famille, un soir d'été à la campagne, au cours duquel le père fantasme, entre deux bouchées, sur les vacances prochaines, le petit réclame une mobylette, parce que tous ses potes en ont une, même Dumont-qui-n'a-pas-un-rond ; le paternel lève les yeux au ciel, « on verra », la mère avance le plat, tiens reprends des petits pois. De l'extérieur, seulement. Autour de la table, personne ne dit mot. Mon père avale sa salade et un bout de quiche tiède. Son nez frôle l'assiette. Ses mandibules claquent, chuintent, une véritable symphonie d'absorption, ponctuée de féroces déglutitions. Parfois, de l'index, il s'en va déloger un bout de verdure récalcitrant, planqué derrière sa gencive. Je ne lui en veux pas d'avoir parlé de Benjamin à Laura. C'est aussi bien. Comment nier sa présence ? Mon frère nous entoure, à cette table, au salon, sur le rocking-chair dans lequel il aimait se balancer en chantonnant. Seul le cliquetis des couverts dérange le silence qu'il nous impose.

Laura s'est lancée dans une entreprise minutieuse : du bout de la fourchette, elle retire chaque lardon de sa part de quiche, et le pousse vers le côté droit de l'assiette. Elle avait deviné que je souffrais d'une infirmité familiale : elle croit comprendre (enfin !) mes colères, mes silences, ma solitude, tout le reste. L'arrivée du camembert au lait cru est une délivrance. Refus poli de la femme enceinte, nous prenons congé, rideau.

Sitôt la porte de la cuisine franchie, Laura me prend par la main, m'entraîne dans le salon, et du salon, dans le couloir, plongé dans l'obscurité. Elle dépose un baiser à la commissure de mes lèvres, j'en frissonne.

— Fais-moi visiter. Je ne poserai pas de questions, promis.

Je n'ai pas la force, ni l'envie de lutter. Laura est curieuse, elle cherche des réponses. La première porte, sur la droite, libère une odeur de poussière. La lune, encadrée par la fenêtre, répand une clarté froide.

— Le bureau de ma mère. Imagine un grand piano à queue, au centre de la pièce.

La présence du Steinway and Sons tenait du miracle. La pièce résonnait des assauts maladroits des petits pianistes. Diplômée de l'école vétérinaire, ma mère n'avait jamais exercé. Elle avait bien imaginé ouvrir un cabinet avec mon père, mais la souffrance animale (plus que la vue du sang) lui était intolérable. Elle s'était réinventée en professeur de musique et chant. Cette chambrette était son antre, le seul endroit où elle élevait la voix. Les murs étaient tapissés de cartes postales, de dessins d'enfants, de partitions et de ces polaroids sur le vif qu'elle affectionnait. Les clichés brouillons, surexposés ou mal cadrés n'ayant pas obtenu l'autorisation de figurer dans l'Album de Famille (images plastifiées au destin iconique) échouaient sur ce mur, dont la surface, par un jeu astucieux de chevauchement, paraissait infinie. Ces prises de vue approximatives (artistiques, corrigeait ma mère) avaient forgé mon univers affectif. J'aimais l'idée que mon histoire s'apparente à un puzzle mouvant, jamais achevé, dont les éclats épars délivraient une signification cachée, réservée aux seuls initiés – notre famille. Je connaissais l'histoire de chaque cliché.

— Ils étaient beaux, tes parents.

— C'est leur voyage de noces, sur la côte amalfitaine, Positano et là, Ischia, dans la baie de Naples. Ils ont failli y acheter une maison. Mes parents ont toujours *failli* prendre des décisions…

Marius et Marianne s'enlacent sur fond de mer saphir, le jeune homme tient sa femme par la hanche devant une église en ruine, on les retrouve entourés de joueurs de guitare, des rubans de lampions courent entre les branches des oliviers, le soleil se couche au fond de leurs verres. D'une photo à l'autre, mon père perdait sa moustache, ma mère changeait de coiffure ou de pays, leur couple prenait de l'embonpoint, leurs sentiments aussi. Mes parents semblaient n'avoir connu qu'une seule saison : les vacances. Les images perpétuaient l'adorable mensonge.

— Ma mère a trompé mon père, assez souvent. Il le savait, tout le monde le savait, mais lui ne s'est jamais plaint. Il l'acceptait comme elle était.

C'est ce que je n'ai jamais compris dans l'amour. La notion de sacrifice. Sur une autre photo, un petit garçon cherche à attirer l'attention. Il porte un T-shirt Toy Story, et des claquettes en bois aux pieds.

— C'est ton frère?

Oui, c'était Benjamin. Il a grimpé au sommet d'un monticule de terre, d'où il brandit un râteau en plastique, à la façon de la statue de la liberté. Ailleurs, plus haut, mon frère rampe sur le tapis du salon, enfile son pyjama lapin, souffle ses premières bougies, poursuit les pigeons dans l'allée. Je l'entends rire, juché sur le cheval à bascule, enivré par le parfum de vanille et fleur d'oranger, promesse de crêpes pour le goûter. Sur un autre polaroid, il porte des béquilles, suite à une mauvaise chute. Il avait guéri, mais il boitillait.

— Et toi? Tu es où?

Mon regard s'attarde sur les clichés éloignés, Laura a raison: il manque quelqu'un. Je me devine, flou, au second plan d'une photo de famille. J'ai toujours été hors cadre, celui qu'on appelait trop tard, ou qui clignait des yeux. Je hausse les épaules.

— Je n'ai jamais aimé les photos.

Laura tient *absolument* à jeter un coup d'œil à ma chambre d'enfant. Tu me l'as promis, affirme-t-elle. Je n'ai jamais rien promis. Elle me précède, pose la main

131

sur la poignée, dévoile un capharnaüm. Palette barbouillée de couleurs, flasque vide, cendrier sale. Sur les étagères, une collection de crânes de sangliers a remplacé mes livres. Les crânes sont tapissés de cartes anciennes, découpées en fines lamelles et collées du creux des orbites aux mâchoires. Seul l'émail des dents demeure apparent. Les orbites, sertis de pierres semi-précieuses, s'éclairent au hasard d'un reflet. Étrange rencontre entre le bijou baroque et le grigri naïf.

Ce que je craignais confusément, le ventre noué, dans la pénombre de l'enfance, s'était accompli : on m'avait remplacé. Antoine ne s'était pas contenté de coloniser mon espace vital, il l'avait repeint à la couleur de ses obsessions. Ma chambre lui avait été offerte, après mon départ. Laura est plongée dans l'observation d'une eau forte, exécutée à l'encre noire. Je me penche au-dessus de son épaule. Un plafond de nuages bas, bientôt la pluie. Au loin, une demeure cossue. « Le château de Malaret, dis-je. On y allait souvent avec l'école. Les petites filles modèles y ont vécu. »

Antoine est là, partout. Je suis un intrus, le cambrioleur de son intimité. Une bouteille de rhum remplie de sable, à l'occasion d'une échappée nocturne à Narbonne ; un portefeuille rapiécé, qui (je le sais) contient deux jetons de 25 francs, souvenir de notre première roulette, au casino de l'île du Ramier ; un sac de balles de golf, récupérées dans les fourrés de Souillac, près de Rocamadour, et ainsi de suite. Je découvre avec stupeur qu'il n'est pas un souvenir dont je ne connaisse la légende. Cette intimité n'est pas la *sienne*, mais la *nôtre*. Un tableau à la recherche de son personnage principal. Tout ici attendait mon retour. La mise en scène n'existe que par ma présence, ma respiration ranime ce décor inerte, en transparence duquel je déchiffre notre histoire commune, tenue à l'abri. Peut-être Antoine n'a-t-il jamais habité cette chambre, mais seulement édifié, à mon attention, le théâtre de nos souvenirs. Il souhaitait que l'on se quitte en bons termes. Une dernière accolade. Je prends entre mes mains un paquet de Gitanes abandonné. À l'intérieur, un briquet et deux cigarettes.

Je l'ai remarquée dès que je suis entré. Posée sur le bureau, en appui contre la fenêtre. Antoine savait que mon regard se porterait dans cette direction (à cet endroit se trouvait une photographie que j'adorais, Alain Delon, mutique, dans *Le Samouraï*). C'est une toute petite peinture. Des phares balayent une route de campagne. Inutile d'identifier la voiture, qui écarte la nuit.

— Je me suis trompé, Laura. Cette chambre n'est plus la mienne.

Chapitre 15

Nous abandonnons l'enfance le jour où nous comprenons que nos erreurs nous appartiennent, et que nous sommes les seuls responsables de nos échecs. À la naissance de mon frère, je venais d'avoir onze ans et je m'inquiétais plus du développement disharmonieux de mon système pileux que des braillements qui emplissaient la maison. Un événement physiologique majeur s'apprêtait à mobiliser mon énergie : l'adolescence. L'âge des joues mitraillées de boutons, des rougissements incontrôlés et des ricanements. L'ado cherche à devenir quelqu'un d'autre mais il ignore qui. Il est persuadé que les autres ne le comprennent pas – et il a raison. Lui-même a cessé de se comprendre. Va chercher le juste équilibre, quand tu ne penses qu'à une chose : le sexe. Pas plus qu'Antoine, je n'échappais à la règle. À cette époque, il passait la plupart des week-ends à la maison. Mes parents lui avaient installé un matelas dans la pièce qui allait devenir la chambre du nouveau-né. Benjamin l'ayant chassé, j'ai donc hérité de mon pote et de son matelas, au pied de mon lit. La nuit, j'entendais des claquements d'élastique, une respiration saccadée, suivie de soulagements rauques. L'intimité des autres est sale.

Antoine avait toujours manigancé pour grandir avant l'âge indiqué. L'enfance coulait sur lui, lente comme de la boue. Il était terrorisé à l'idée qu'elle ne le fige, gauche et introverti, chrysalide incertaine. Alors il s'était mis en tête de se faire accepter par ceux qu'il considérait comme des demi-dieux : les adultes. À force de les côtoyer, il finirait bien par devenir l'un d'eux. Ma mère s'était laissé séduire, mon père s'en amusait. Seul Grand-père ne goûtait pas sa présence, mais personne ne se souciait de ce qu'il grommelait, il n'avait qu'à articuler.

Très tôt, j'ai eu le sentiment qu'Antoine cherchait à prendre ma place. À me «renverser». Rien de concret – de simples intuitions. Il vantait aux autres la beauté de ma famille, l'amour et le respect qui y régnaient. Tu ne te rends pas compte de la chance que tu as, me répétait-il. Je ne le contredisais pas, il est plaisant de se voir flatté par son reflet, mais derrière les compliments, perçait déjà l'envie. Il comparait nos vêtements, la marque de nos lunettes, le nombre de paquets de céréales sur la table du petit déjeuner, le samedi matin. Je n'osais pas en parler, persuadé qu'on me rirait au nez. Je ne fis rien non plus qui puisse contrarier la relation privilégiée qu'il entretenait avec ma mère. Puisque je n'étais pas «exactement» l'enfant qu'elle aurait aimé avoir, je la laissais trouver chez

Antoine le tempérament ou la maturité qui me faisaient défaut. Il me racontait leurs discussions, les sorties à la médiathèque, les promenades à vélo – autant de privilèges de fils dont je faisais mine de ne pas me soucier. Après tout, l'intello, c'était lui ; ma mère me voyait comme une tête dure, un ado bêta préoccupé par le foot et les filles (ce qui était en partie vrai) : « Tu es bien le fils de ton père ! » Je n'ai jamais su ce qu'elle lui reprochait : Marius l'avait chérie, et était demeuré fidèle à ses sentiments. C'était peut-être ça, au fond, le problème. Ma mère ne s'était jamais sentie en danger. On se soucie moins d'aimer lorsque la crainte a disparu. Le confort empoisonne les sentiments.

Benjamin est né, et tout a changé. Je n'ai jamais su si Antoine avait été particulièrement rusé, ou s'il avait lui aussi succombé au charme de mon frère. Au lieu de haïr le petit être joufflu qui lui ravissait sa place, il décida de l'aimer davantage. Que d'exclamations de sa part au retour de la maternité ! Il prit même sur ses économies pour offrir un hochet au bébé – c'était *tellement* inattendu. Ma mère fut attendrie aux larmes, mais jamais plus, elle ne se soucia de lui. Notre amitié, elle, s'était distendue. À cet âge, les sentiments se périment vite. Un incident mit fin à notre complicité. Cet incident portait un prénom de fille.

En cinquième, j'avais la tête ailleurs, et souvent dans le décolleté de mes camarades de classe. C'était l'époque des érections inopinées, gênantes et mystérieuses, dont on pressent qu'elles dissimulent une sensation inexploitée.

L'objet de mes rêveries érotiques s'appelait Nelly. J'avais des fantasmes de secours, mais aucun n'égalait la créature de rondeurs et de chair qui avait eu la délicieuse cruauté de s'asseoir devant moi en cours de sciences physiques. Nelly était mon bûcher. Je me recroquevillais devant elle comme un morceau de cellophane jeté dans une cheminée. En sixième déjà, elle portait des shorts en jean si serrés que le pli de ses fesses ne parvenait pas à s'y glisser. Ses formes affolaient le prof de techno, qui l'appelait au tableau au moindre prétexte. Antoine la trouvait idiote. Je ne savais rien d'elle et je m'en moquais : ce que j'imaginais me suffisait. Aveuglé par des signes mal interprétés, je commis une erreur. Personne ne peut rester insensible aux mots, pensai-je, même bafouillés sur une page. J'ai déchiré des dizaines de feuilles, de belles marquises d'amour vos yeux, à ne pas en dormir de la nuit. Le lendemain, des gloussements m'ont accueilli en classe. Mes brouillons circulaient de tables en tables. Nelly était écarlate, ses deux meilleures amies pouffaient à s'en tenir la vessie. Au premier rang, Antoine dégustait son triomphe. « Demande-toi maintenant qui sont tes amis. » On m'a surnommé « le poète », insulte suprême dans une cour d'école. Des petits malins parodiaient ma prose, mon masque d'insolence venait de voler en éclats, un ricanement avait dispersé les débris. Nelly s'est mariée à dix-huit ans, avec un représentant en ventilateurs.

Le vent a soufflé toute la nuit. Impossible de fermer l'œil. Une longue fissure ride le plafond. Au-dessus du lit, Jésus sur sa croix me contemple avec mélancolie. Posée sur une commode de bois blond, la photo de la nonna Angelina à vingt ans, devant un lavoir, une corbeille débordant de linge sur le dos. La veille, j'ai écarté les toiles d'araignées du petit tableau de liège de l'entrée pour dénicher les clés de l'appartement de Grand-père, mitoyen à la bâtisse. Une bâche en plastique recouvrait son lit. Cadre en chêne imposant, matelas de dimension modeste. Les linges sentent la lessive. Cet endroit attendait quelqu'un qui n'est jamais revenu. Laura fronce les sourcils dans son sommeil. Je caresse sa chevelure libérée. Mon cœur bat, un instant.

J'enfile le jean et la chemise qu'elle m'a apportés. Mes pieds se posent sur le carrelage froid. Les six dernières années de sa vie, Grand-père avait habité ce trois pièces, bâti en prévision de ses vieux jours. Je l'avais aidé à poser le carrelage, des allumettes figuraient la distance entre les carreaux. J'avais dix ans, et je défilais, torse fier, derrière ma brouette chargée de gravats. Personne ne m'avait jamais investi d'une mission aussi importante. À la fin de la journée, on avait partagé un verre de bière, sans que mes parents n'en sachent rien (ils s'en seraient moqués, mais pas question de se priver du frisson de la transgression). Ce n'était pas grand, quarante mètres carrés. Gregor écoutait la télévision à tue-tête, et en dépit de l'épaisseur des murs, ma mère était obligée d'augmenter le volume de la sienne : chez Claude Sautet, à qui elle vouait un culte (aux côtés de Pialat et Louis Malle), Vincent, François, Paul et les autres chuchotent ou parlent tous en même temps. Gregor se joignait à nous pour le dîner. Un rituel qui a cessé après l'accident. À l'arrière de sa kitchenette, Gregor entreposait le vin, le charbon pour le poêle, et la jarre aux escargots qu'il mettait à jeûner. Il planquait son eau-de-vie derrière la chaudière, alors avec un peu de chance… je plonge ma main, en retire un flacon. Sur l'étiquette, *Prune, mai 1968*. Cette flasque est historique. J'en avale une lampée, une seconde. Un incendie révolutionnaire embrase mes entrailles.

L'appartement a été vidé, nettoyé, oublié. J'ouvre l'unique armoire du salon, la porte grince, Gregor n'aurait jamais laissé grincer une porte. Un parfum de lavande me submerge, l'odeur de grand-mère. Angelina en disposait un brin entre chaque étoffe. Si à cet instant, elle avait posé la main sur mon épaule, je l'aurais étouffée de joie. Sa présence secoue l'équilibre de la pièce : l'odeur froide du vieux meuble, ce gros animal dérisoire, disparaît. Des profondeurs de la penderie, j'extirpe une collection gondolée de *Paris Match*, ainsi qu'une sacoche de médecin en vieux cuir, que les ans ont durci. Le petit loquet cède à mes avances. Des instruments pour tailler les peaux, et un livre, dont je reconnais l'illustration de couverture – *Terre des hommes* de Saint-Exupéry. Grand-père n'a lu qu'un seul livre, mais il l'aura lu toute sa vie. Il ne sortait jamais sans emporter *Terre des hommes* en format poche. Gregor avait pris l'habitude de le poser à côté de lui. Ce talisman protégeait sa liberté. Un jour de désœuvrement, son doigt avait glissé entre les pages, Grand-père était tombé à l'intérieur. «La terre nous en apprend plus long sur nous que tous les livres. Parce qu'elle nous résiste. L'homme se découvre quand il se mesure avec l'obstacle. Mais, pour l'atteindre, il lui faut un outil.» Gregor récitait si souvent cette phrase qu'elle avait fini par lui appartenir. Je reprends une lampée de prune, en trinquant à Gregor, à Saint-Ex, aux aventuriers. Je me demande si quelqu'un, un jour, a trinqué à ma santé. Je range la valise et glisse l'ouvrage dans la poche de mon pantalon.

Laura dort toujours. Je réajuste le duvet sur son corps, au niveau des épaules. Me voilà dehors. La maison, à ma droite, somnole, obscure et silencieuse. Le matin tarde. Je sirote. Chaque goulée est plus agréable que la précédente. Mon corps apprend à connaître son poison, le tolère; bientôt, il l'attendra. La campagne ronfle encore. «Parmi ces étoiles vivantes, combien de fenêtres fermées, combien d'étoiles éteintes, combien d'hommes endormis…» Une présence, à moins d'un mètre: Marius, immobile, vêtu d'un chandail en laine, le visage tourné vers les collines. Son regard dérive au large. Je dissimule la bouteille derrière mon dos. Il me remarque, décroise les bras, se racle la gorge.

— L'autan est en retard cette année.

L'autan, le vent qui rend fou, petit frère du sirocco, né dans l'Atlas algérien. Quand souffle l'autan, les déments se mettent à danser, et les pare-brise se maquillent d'une pellicule de sable rose.

— Qu'est-ce que tu lui as dit sur Ben?

140

— Que nous l'aimions beaucoup. Et qu'il nous manque.

Puis, après un silence :

— Tu devrais tout lui raconter.

— Peut-être.

Mon père se presse les tempes entre le pouce et le majeur.

— Je vais préparer du café.

Quelques pas. Il se retourne.

— Ici, tout le monde se souvient. Il n'y a que toi qui crois que les gens oublient.

Chapitre 16

« Pourquoi tu ne l'enterres pas dans le parc du château ?
Après tout, nous sommes ici pour ça. » L'idée est venue à
Laura en se brossant les cheveux devant le miroir (je n'ai
pas relevé l'utilisation du « nous »). Elle ne semble plus
se souvenir de son ultimatum. Peut-être l'a-t-elle reporté
à une date ultérieure. Les femmes se laissent aisément
distraire par les circonstances. C'est ce qui les rend insai-
sissables, et dangereuses.

Disperser mon pote à l'intérieur de l'un de ses
tableaux. Fertiliser de ses cendres le manoir des petites
filles modèles : il n'aurait osé l'espérer. Antoine vouait un
culte discret à la comtesse de Ségur ; à l'âge où *Le Déclic*
de Manara s'échangeait dans les vestiaires, lui collection-
nait les ouvrages de la Bibliothèque rose. Il considérait
les petites filles modèles comme des cousines éloignées,
partenaires de douleur, dont le destin était de souffrir plus
intensément que les autres. Antoine tenait sa mélancolie
en haute estime.

— Tu aurais pu mettre une cravate.

Laura a chaussé de petits talons vernissés, elle s'est même maquillée. Nous avons calé l'urne dans une boîte à chaussures, contre le siège arrière de la Mercedes de mon père. Gamin, j'aimais follement cette voiture, son odeur de cuir tanné, c'était le véhicule des grandes occasions, cinéma, pique-niques, parties de pêche. Elle ressemblait à son propriétaire, imposante et bordélique. Toutes sortes de choses traînaient à l'intérieur, des outils, un manuel de chasse, des cartouches, un saucisson oublié. Quand le paternel lançait « en voiture ! », on pouvait être sûr qu'il allait se passer quelque chose.

Marius s'installe au volant. Le père, le fils, la femme et le cher disparu. L'étrange attelage prend la direction de Lavaur, sous un ciel sale. Nous nous garons sur un rectangle de terre sèche. Le vent balaie la poussière. Le domaine de Malaret s'étend sur une centaine d'hectares. Nous empruntons un chemin vicinal, d'où débordent mûriers et buissons rampants. J'ai toujours eu de la tendresse pour les végétations désordonnées, ces bois mal élevés, dont les branches supérieures se chamaillent. L'hiver, on les croirait morts, l'été, leurs frondaisons contrarient le soleil. Nous enjambons des troncs abattus, couchés sur le flanc. Laura trébuche, mon père esquisse un geste pour la rattraper. Chacun de mes pas alourdit l'urne. Les arbustes ont envahi le sentier.

— J'aime cette odeur de sous-bois, lance Laura, pour rompre le silence.

Mon père s'accroupit, soulève une branche luisante de sève.

— Ce que vous sentez, c'est l'odeur des arbres fraîchement coupés. Une odeur de cadavres.

Il se relève, reprend sa marche.

— Décidément, vous êtes gais dans la famille.

Le ciel, au-dessus de nos têtes, s'est encore assombri. Devant nous s'élève le château. C'est ici qu'il y a deux siècles habitaient la vraie madame de Fleurville et ses deux petites filles, «bonnes, gentilles, aimables, et qui avaient l'une pour l'autre le plus tendre attachement». Camille est morte à trente-quatre ans de tuberculose, son fils, quatre ans après elle. Sa sœur cadette Madeleine embrassera une vie dévote dans la paroisse Saint-Sernin. Modèles sans doute, sans joie assurément. Elles continuent pourtant de jouer dans l'imaginaire collectif leur rôle de petites châtelaines joufflues et rieuses, figées dans l'enfance. On aurait tort de croire les écrivains.

Je dépose l'urne à terre. La voix de Laura, dans mon dos: «Ton ami devrait se sentir bien, ici.» Elle n'en est plus très sûre. Le château a rapetissé depuis mon enfance. Le manoir est devenu une petite dame grise, tassée sur ses fondations, menacée par la ruine. La façade pèle, gonflée d'humidité. Je m'approche des escaliers. Mon père et Laura restent en arrière. En haut des marches, je me retourne pour nous revoir, gamins ébouriffés, riant à pleine gorge, de nos dents poinçonnées de bagues. Je ne

144

découvre qu'une clairière abandonnée, écrasée sous un ciel épais. Laura et mon père se sont volatilisés.

Tous les étés, renaissait Malaret. La fin des classes approchait, nos braves instituteurs ne savaient plus trop quoi nous enseigner, alors « le château des petites filles », par enchantement, réapparaissait. Et chaque année, le même rituel. Un cercle dans l'herbe. En son centre, un narrateur, souvent un redoublant, contait la malédiction de Malaret. Cette légende courait de bouche en bouche et d'une génération se propageait à la suivante, si bien que tout le monde, au village, connaissait le funeste destin d'Augustin Vendôme, lointain ancêtre du petit Grégory. Les années 1920. Malaret et son parc accueillent à la belle saison les pique-niques dominicaux. Augustin habite Montastruc-la-Conseillère, et s'y rend en famille tous les dimanches. Nul ne connaît les bois mieux que lui. Un jour, il s'aventure plus loin que d'habitude. Ses parents ne remarquent son absence qu'en fin d'après-midi. Augustin ne réapparaîtra jamais. La rumeur, qui ne manque pas d'imagination, évoquera une *bête* sortie de la forêt, les gens bien intentionnés, relayés par les gazettes, soupçonneront un sans-abri qui errait dans le coin, et que l'on tabassera, dans le doute : on n'est jamais trop prudent. Des années plus tard, on retrouvera un carré de tissu marin. « Et certains soirs, concluait le narrateur, on peut entendre une petite voix appeler maman, maman… » Tout le monde alors fermait les yeux et chuchotait une prière pour le repos d'Augustin quand un petit malin, demeuré à l'écart, hurlait « Maman ! Au secours ! ». Les filles plongeaient dans des crises d'hystérie, les garçons succombaient à une hilarité excessive, qui masquait mal leur inquiétude. Ce jour-là, quand les cris d'effroi ont retenti, Antoine et moi luttions, par jeu, derrière les fourrés, corps à corps sanguin, tempes battantes, muscles bandés. J'ai toujours été plus robuste que lui mais il était parvenu à immobiliser mon torse sous le sien. Souvenir de sa peau, à travers son T-shirt humide de transpiration. De son souffle affolé dans mon cou. Et des frissons. Parmi les herbes, nous étions invisibles. Nos respirations se sont stabilisées. J'ai senti ses lèvres molles contre les miennes. D'abord, je n'ai pas compris, j'ai cru à une erreur, un oubli. Enhardi, peut-être, par ma stupeur, Antoine a voulu recommencer. « Tu es dégueulasse ! » ai-je crié, en me dégageant d'un coup d'épaule, et j'ai couru rejoindre les autres. Antoine n'a pas cherché à me poursuivre. Il est demeuré allongé, au centre de la clairière. Sa lèvre saignait un peu. J'avais interrompu le chuchotement de nos corps. Il ne s'était rien passé, aucun mot n'avait été échangé, nous n'en parlerions jamais. Un mois plus tard, mes brouillons d'amour destinés à Nelly circulaient dans la classe hilare.

Tout est obscur. Le vent siffle, gonfle les châtaigniers. Mon regard s'attarde au sommet des tours, descend le long de la façade ; les volets en bois ont été déchiquetés, les vitres brisées, j'essaie de me représenter les salles au temps de leur splendeur, cheminées de pierre et chandeliers aux murs, l'écho des poursuites de Camille et Madeleine, quand j'aperçois une silhouette. Elle glisse de pièce en pièce, une bougie dans la main. Impossible de distinguer son visage, seulement sa taille, celle d'un enfant.

— C'est toi qui as crié? me demande Laura.

Je m'installe sur le siège passager, pose l'urne entre mes jambes.

— Trop de vent.

Mon père démarre sans me jeter un regard.

Le reste de l'après-midi se déroule dans un climat étrange. Personne ne ressent la nécessité de parler, aucun de nous ne prend la décision de se séparer. Le lard accroche au fond de la poêle, j'ajoute l'oignon, les pommes de terre grenailles coupées en deux, préalablement saisies, les œufs. Nous dînons en silence. Laura touche à peine à son assiette de salade. Mon père s'envoie de petites lampées de vodka glacée. Il s'assied à côté de nous, l'haleine brûlante, nous sert deux verres. Laura refuse poliment, j'avale sa ration puis la mienne. Mon père me ressert, tiens, la bouteille est vide. Il s'est détendu, ses épaules s'arrondissent.

— Tous les jeudis, à seize heures précises, je vais jouer aux dames avec Marianne. Elle se défend bien.

Puis: «Tu devrais voir ça.»

Marianne, ma mère. Jeudi, c'est demain. Je ne sais que répondre. Mon père tente sa chance avec Laura.

— Vous êtes bien installés chez le grand-père?

147

Laura le rassure, elle se sent juste un peu fatiguée ces temps-ci. Il hoche la tête dans le vide. Alors, à demain. Il attrape une bouteille par la taille et, en sa compagnie, monte se coucher.

L'épisode, anodin, du château de Malaret a tout changé. Antoine s'absente, prétend vouloir consacrer du temps à sa mère, « rétablir le contact ». En vérité, nous ne parvenions plus à retrouver la complicité intuitive qui nous avait jetés dans les bras l'un de l'autre. Nous n'étions pas fâchés, seulement contrariés, obligés d'admettre que « quelque chose avait disparu », sans être capables de désigner les causes de cette distance. Au cours de l'année de troisième, Antoine a brusquement grandi. Des inconnus, rarement les mêmes, venaient l'attendre le soir, devant le collège. Certains d'entre eux avaient le permis. Je n'avais aucune idée de l'endroit où ils pouvaient se rendre ensemble, ni où il avait pu les rencontrer. Je le connaissais mal, Toni. Il a commencé à fumer, et à sécher certains cours. Lui qui n'avait jamais d'argent s'est présenté un jour, en perfecto de cuir – « cadeau d'un ami ». Son regard brûlait de fierté, mâtinée d'une rancœur qu'il ne cherchait plus à discipliner. Il avait trop tardé à partir à l'assaut du monde, m'a-t-il dit un soir, ou quelque chose dans le genre, il serait artiste, et libre, pas un petit bourgeois de province, cette double tare. Mes parents n'ont rien remarqué. Les parents ne remarquent jamais rien. C'était avant l'incident.

Nous étions à quelques jours de la fin de l'année scolaire, Ben venait d'avoir cinq ans. Antoine a été surpris, pantalon baissé, dans les toilettes de la salle de musique, avec un autre garçon. Pédales, fiottes, tarlouzes. Les tourtereaux ont hérité de surnoms. Les profs ne se sont pas inquiétés : les insultes sont affectueuses dans le Sud-Ouest. L'autre gamin s'est hâté de partir en vacances, Antoine est resté à Verfeil, pas le choix. La méfiance envers les Moreira couvait depuis longtemps. La greffe n'avait jamais pris. La mère d'Antoine était surnommée « la sorcière ». On racontait qu'il se passait de drôles de choses dans la maison aux volets fermés, entre la mère et le fils, et que ce n'était pas un hasard si le vieux s'était barré... Antoine a été retrouvé un soir, derrière la haie du terrain de rugby. Dix-huit points de suture, trois côtes cassées. Le fils d'un gendarme et le neveu du maire ont été interrogés. Une bonne engueulade, six heures de travaux d'intérêt général, affaire classée. Verfeil avait réglé ça en famille. Il faut savoir se tenir tranquille, avait conseillé le brigadier à Antoine. Pourquoi chercher à se distinguer à tout prix, mon petit ? Je n'ai rien contre les gens comme toi, mais crois-moi, c'est reposant de ressembler aux autres. Rentre dans le rang. Tu dormiras mieux la nuit. Antoine a mis trois semaines pour se rétablir. Il conserverait une petite cicatrice au-dessus du sourcil droit. Nous avons conclu une trêve, le genre de contrat que les regards négocient. Notre amitié repartait à zéro. Chacun de nous a fait mine de le croire. Des mois plus

Chapitre 17

Mon père a tenu à me prêter le nœud papillon qu'il portait le jour de son mariage. Lui a revêtu un costume gris anthracite à épaulettes, sur une chemise kaki. Un senior avant un entretien d'embauche. Il s'approche du petit miroir écaillé de l'entrée, tripote le fanon sous sa gorge, inspecte ses gencives. «On y va!» lance-t-il à la cantonade, avant de comprendre que je l'attends à la porte depuis plusieurs minutes – «Bon, ne soyons pas en retard».

J'ai accepté de l'accompagner à la maison de convalescence du «Château de Saussens», où ma mère est soignée, à une vingtaine de kilomètres de Verfeil. «Il n'y a donc que des châteaux chez vous?» s'est étonnée Laura. C'est que nous sommes gascons, ici, une cabane se fait appeler résidence secondaire. Laura a préféré rester se reposer. L'énorme Mercedes effectue une manœuvre poussive, équarrissant au passage un buisson à boules rouges. Mon père s'engage sur le chemin de terre, mains figées sur le volant, muscles tendus. Je prends, enfin, le temps d'interroger son visage.

151

Je me souviens qu'il avait toujours l'air gai, ou *partant pour quelque chose*, même quand il restait immobile dans le rocking-chair, peut-être à cause de l'armagnac qu'il sirotait dès le petit déjeuner. Je me souviens qu'il écrasait les guêpes entre ses paumes, et qu'un jour, il avait brûlé un gâteau de frelons dans la cheminée, mais qu'il glissait les araignées à l'intérieur de ses poignes épaisses, pour les rendre aux herbes, même les grasses, toutes velues. Il me promettait des claques et ne tenait jamais ses promesses. La seule fois où ses mains étaient venues enflammer mes fesses, c'était parce que j'avais eu l'idée d'allumer un pétard dans le poulailler. Les bestioles étaient mortes d'une crise cardiaque. Ah! Et aussi : sa tondeuse détraquait le ciel. Aux premiers jours du printemps, tout le voisinage grimpait sur son tracteur, une espèce de rituel mimétique. Mon père refusait de tondre avec les autres. Il tirait sur le fil de sa tondeuse à essence aux aurores ou à la tombée du jour, pour la fraîcheur, prétendait-il ; aussitôt, le temps tournait à l'orage. Il faisait d'abord mine de ne pas remarquer le tonnerre, agrippé au manche avec l'assurance d'un capitaine à sa barre, luttant contre les éléments déchaînés, et puis il finissait par rentrer, dans un bruit de tempête, le regard incandescent, comme si c'était Dieu en personne qu'il venait de défier.

Je me souviens du jour où il était venu me récupérer à la sortie du collège. Je remarque de loin son maillot de corps humide de transpiration, et taché de sang. Il discutait tranquillement avec un parent d'élève. On aurait cru qu'il venait d'égorger quelqu'un. À cet instant, le père d'un copain est arrivé, sur une moto rutilante. J'ai regardé de nouveau le mien. J'aurais voulu disparaître sous terre. On ne vient pas chercher son fils avec des bouts de placenta accrochés au cou. Lui s'en moquait, je le soupçonnais même de trouver cela amusant.

Au fond, il n'avait jamais cessé d'être le petit Marius Reijik, qui avait appris à parler français à l'école et occitan dans les champs (ailleurs, on aurait appelé cela «la rue», mais les coquelicots ne poussent pas au milieu des rues). À trois ans, il disait «adiu», et «adishatz» en patois, adieu pour bonjour, adieu pour au revoir. Marius n'était pas un mauvais garçon, mais il avait le diable dans les jambes. Il courait les labours à la tête d'une bande de vauriens, avec lesquels il s'en allait tirer les sonnettes, en rêvant de faire de même aux seins de la voisine. À dix ans, Marius savait conduire un tracteur et de paisibles ruminantes, il reçut ses premiers coups de cornes. Il recherchait la présence des taiseux à forte poigne, ces hommes à béret qui ont leurs racines vissées sur le crâne, se lèvent avec le soleil et se couchent avec leur bouteille de prune. Je le soupçonne d'avoir commencé la picole avec eux. Il a hérité de ces fréquentations sa mentalité paysanne, bougonne et généreuse. À leur contact, sa peau s'était épaissie et assombrie, adoptant des teintes argileuses. Il n'y a qu'une chose que Marius n'aimait pas : qu'on lui ébouriffe les cheveux. C'est en tout cas ce que racontait la nonna, entre deux marmonnements approbateurs de Gregor.

L'ancien tenait à ce que son fils sorte les mains de la terre. Chez lui, ce n'était pas qu'une expression. « Rien n'est pire, chez un homme, que les ongles noirs. » Marius fit des études, mollement. Et c'est sur les bancs en bois cirés de l'école vétérinaire de Toulouse qu'il tomba fou amoureux de Marianne Aninos, volubile Chypriote aux yeux bleus. Marianne était une élève brillante, et Marius se trouva contraint d'obtenir son année, sous peine de voir s'évanouir sa promise. Marianne céda, tardivement, à ses avances. Ils se marièrent un matin d'avril, en présence de quelques amis aux cheveux longs. Mon père dut quitter la cérémonie pour cause d'agnelage : la légende raconte que cette après-midi-là, vêtu de ses beaux souliers et de son nœud papillon, il donna naissance à trois agneaux. La petite histoire ajoute qu'il n'embrassa la mariée qu'à minuit. Marianne offrit à Marius une confiance singulière en lui-même. Rien n'était impossible, puisque sa princesse antique l'avait choisi lui, l'enfant qui parlait avec l'accent des labours, et roulait les « r » quand il avait trop bu. Dès lors, son énergie brute, impatiente, balayerait les problèmes d'un revers de main : « Les ennuis commencent quand on leur consacre du temps ! » Rien n'accrochait jamais sur lui. La réalité se rappelait parfois par le truchement de ma mère, tu sais, Marius, c'est très généreux à toi d'accepter de travailler sans être payé, et tout le monde t'apprécie pour ça, mais tu as aussi une famille. Il disait oui, je t'entends, ma douce – il entendait mal. Il s'arrangeait pour esquiver toute confrontation avec les autres, comme avec soi-même.

Jusqu'à la disparition de Benjamin. Le colosse était tombé. Cet homme que je ne connais plus m'entraîne vers mon passé, dans une odeur d'essence et de cuir chauffé.

La Mercedes grimpe sur le trottoir qui borde les «Petites fleurs modèles». Nicole, la fleuriste, nous accueille en souriant, «je vais chercher ton bouquet, Marius». Le lieu, de taille modeste, étouffe sous les fleurs. Un parfum de mimosa épuise tous les autres. Nicole disparaît dans l'arrière-boutique.

— Deux fois par mois, Marianne vient passer quelques heures à la maison. On se promène, on déjeune au village. Ça passe vite.

Mon père s'éclaircit la gorge.

— Le reste du temps, elle est coincée là-bas. On a le droit d'appeler, les mardi et jeudi, avant les repas, à six heures. Ils se couchent tôt. Marianne ne parle pas beaucoup… Je lui raconte ce que je fais. Comme je ne fais pas grand-chose, j'invente, et comme je n'ai jamais su inventer, je finis par me taire aussi. Ce n'est pas grave. Elle n'est pas curieuse.

La fleuriste revient, les bras chargés d'un bouquet de roses étranglé de cellophane. Je tends un billet de cinquante euros, mon père arrête mon geste et ouvre son carnet de chèques, sur lequel il rédige, appliqué, le montant au stylo-bille. Il dépose délicatement les fleurs sur le siège arrière. Nous roulons depuis quelques minutes, lorsqu'il ajoute :

— J'ai parfois le sentiment qu'elle attend que je lui dise quelque chose en particulier.

La Mercedes saute au rythme des ornières et des affaissements de terrain, et je m'accroche fermement aux poignées de cuir pour ne pas être éjecté de mon siège. Elle pile sèchement. Mon front heurte le pare-soleil. Je lève les yeux vers de hautes grilles en acier brossé, surmontées de piques et truffées de caméras. Nous révélons notre identité à un petit interphone. La porte s'ouvre, les pneus craquent sur les graviers. Nous mettons pied à terre au bout d'une allée encadrée de châtaigniers. Dans le parc arboré, déambulent des individus, surveillés de loin par d'autres individus vêtus de blanc. Mon père me tend les fleurs – c'est pour toi. Tu les lui offriras.

— Un instant, regarde-moi.

Il approche ses mains. Ce ne sont plus les paluches énormes qui m'impressionnaient, mais des mains fines traversées de veines sombres, aux doigts immenses, fragiles comme des baguettes chinoises. Il cherche à ajuster mon nœud papillon. Quand j'étais gosse, mon père humidifiait parfois son pouce pour retirer une croûte ou une saleté de mon visage. Je détestais cela. Il ne lui était jamais venu à l'idée que son fils puisse grandir, ou être gêné en public par ces marques d'affection maladroites. Il ne parvient pas à rectifier l'inclinaison de mon nœud papillon. Il frissonne, transpire, et de son mouchoir en tissu, essuie les gouttes qui perlent à son front.

— C'est qu'elle ne t'a pas vu depuis longtemps.

— Ça ira très bien comme ça, ne t'en fais pas.

Nous traversons le gazon vert pomme, sans nous soucier

des tuyaux d'arrosage, ni des patients hébétés qui tournent la tête vers nous au ralenti. Une mélodie nous parvient. Un jeune homme en blouse s'approche, mon père pose son index sur ses lèvres. Je reconnais Chopin, le prélude n° 6 en si mineur, les doigts souples, Simon, toujours souples, le reste du corps tendu vers la note, et son souffle dans mon cou, ce parfum épicé qui flottait autour d'elle et embaumait les objets de la pièce, c'est bien, Simon, concentre-toi, écoute la mélodie «de l'intérieur», Chopin l'a écrite en pensant à des larmes tombant du ciel sur son cœur. Des frissons parcouraient ma colonne vertébrale, jusqu'à ce qu'elle porte le regard à la petite horloge sur le piano, et qu'Amandine ou Coralie sonne à la porte, allez file, et je filais, sur la pointe des pieds, souples, toujours souples.

Mon père m'attire à lui, me *touche*, s'en rend compte, retire sa main. Elle a recommencé à jouer, Simon, elle a recommencé. Je suis le regard de mon père, de l'autre côté de la paroi transparente. Je ne distingue qu'une ombre, avalée par son instrument. Autour d'elle, d'autres ombres écoutent. Je reconnais la proue élégante du Steinway. J'éprouve une sensation étrange, une gêne, comme si nous étions exclus de ce monde, et qu'il suffisait que nous tentions de le rejoindre pour qu'il s'évanouisse aussitôt. Mon père a collé son visage à la vitre. À aucun moment, ma mère ne lève les yeux.

— Messieurs, le docteur Sirdey souhaiterait s'entretenir avec vous.

Nous traversons des couloirs blancs, saturés de néons,

plantés de tables Ikea et de végétaux livides. L'infirmier nous prie de patienter dans une salle cossue, décorée de moulures, aux sièges métalliques tendus d'une assise en plastique imitant le cuir. En proie à une agitation électrique, mon père ne tient pas en place, ses mots gesticulent. « Le piano, c'était mon idée ! s'exclame-t-il. Qu'est-ce que j'aurais pu en faire de ce monstre-là ? C'est triste un instrument avec personne pour le toucher, ça meurt à petit feu… Alors avec deux copains paysans, on l'a monté sur une remorque, derrière le tracteur, et c'était parti ! Tu aurais dû voir ça, quel cirque ! Sur la route, les gens klaxonnaient comme pour un mariage… » Profitant d'un moment d'inattention, Marius Reijik venait de déjouer la vigilance de l'homme à la triste figure, qui l'emprisonnait depuis vingt ans.

Un trentenaire au visage avenant, blouse ouverte sur une chemise en flanelle et chaussures anglaises aux pieds, nous invite à le suivre dans un vaste cabinet dont les larges fenêtres ouvrent sur le parc. Arthur Sirdey s'est laissé pousser une barbe légère, qui dissimule à peine ses traits pointus et délicats. Il nous propose un café, mon père refuse pour nous deux.

— Installez-vous confortablement. Je vous attendais.

Marius lève un sourcil inquisiteur.

— Quelque chose ne va pas, docteur ?

— Bien au contraire, monsieur Reijik.

Les yeux d'Arthur Sirdey pétillent d'une douce malice. Il détaille le quotidien de ma mère, du lever au coucher, d'une voix posée, rassurante. Le déroulement des journées obéit à un protocole strict. Lever à 7 heures. Petit déjeuner à 7 h 30. Promenade accompagnée de quinze minutes dans le parc. Exercices de relaxation, yoga, jeux de stimulation intellectuelle jusqu'au déjeuner, etc. Rien que je ne sache déjà. Je connais Arthur Sirdey, sans doute mieux qu'il ne se connaît lui-même, c'est le privilège des psys, des banquiers et des types dans mon genre. J'ai effacé ses péchés. Le docteur Sirdey aimait les belles femmes et les voitures qui vont avec. Il a joué, beaucoup perdu. Je l'ai aidé à se mettre au vert, en échange d'un service : veiller sur ma mère. Le 5 de chaque mois, un rapport circonstancié m'informe de son état de santé, des mets qu'elle préfère, des mots qu'elle laisse échapper. J'ai assisté quasiment en simultané à la réception du piano. Mon père était tellement ivre qu'il s'est luxé l'épaule en tombant du tracteur, obligeant la clinique à le garder en observation jusqu'à la fin de la journée. Je dispose même d'un scan de la note du taxi qui l'a ramené chez lui. Sirdey semble épanoui, à sa place. Je le soupçonne d'avoir pris goût à sa nouvelle vie. Qui sait, à la fin de mes jours, peut-être aurai-je sauvé une âme ?

— Pendant une longue période, elle a ignoré le piano, et puis une nuit, Mozart a réveillé tout le monde. Depuis, c'est tous les jours, quand l'envie lui prend. La musique est bénéfique aux autres patients. Et le personnel en a bien besoin, aussi, croyez-moi. Cependant, et le mélomane que je suis le regrette, je crois qu'il est temps d'imaginer une autre vie pour elle... plus sereine, près de ceux qu'elle aime.

Chapitre 18

Pour célébrer leurs dix ans de mariage, mon père avait offert à ma mère un voyage à Chypre. Entre-temps, j'étais venu au monde, alors ils m'ont emmené. Il avait loué une petite maison de pierre, dans le village de son enfance. À l'heure de la sieste, le soleil se faufilait entre les persiennes, éclairait un coin d'évier écaillé. Je donnais du lait à un chat borgne. J'ai gardé en mémoire la robe blanche, échancrée dans le dos, que portait ma mère. Le soleil cuivrait ses taches de rousseur. Je n'avais jamais remarqué à quel point elle était belle.

Les deux premiers jours, elle est restée assise sur le pas de la porte, n'osant arpenter ces ruelles qui l'avaient vue grandir. Au troisième matin, maman m'a demandé de la suivre. Nous avons marché longtemps, côte à côte, sans un mot. Je me souviens de l'odeur du thym, du crissement des cigales, de la chaleur aussi, et d'une végétation rase, que broutaient des chèvres efflanquées, à demi sauvages. Parvenus au sommet d'une falaise, nous nous sommes

161

allongés dans la lumière aveuglante. J'avais soif, un peu peur aussi. «Pourquoi est-ce qu'on est là, maman?» Elle a pris ma main et nous sommes descendus vers la mer. Le sable était noir et brûlant. À notre retour, je me suis effondré de fatigue, le visage rougi de soleil. Mon père a jeté à ma mère un long regard, puis nous sommes descendus au village manger le poulpe qui séchait sur un fil à linge. Ma mère avait retrouvé sa gaieté. Ce soir-là, elle a beaucoup ri, des éclats imprévisibles, excessifs, désaccordés. Elle avait caché dans son rire ce qui lui restait de jeunesse et de liberté, cette fierté qui refusait de s'assagir, se moquait du regard des autres, des années ou des diktats de la bienséance. Mon père ne lui a posé aucune question. Ce n'était pas nécessaire.

Hadrien, mon grand-père maternel, s'était jeté d'une falaise, un petit matin d'avril. La veille, il était venu frapper à la porte de sa fille, ils s'étaient disputés, elle avait refusé d'ouvrir. Il était demeuré une partie de la nuit, adossé à la porte de sa chambre. Maman avait neuf ans, peut-être dix. «Il est mort à cause de moi.» Ta mère exagère toujours, modérait mon père, ton grand-père était fragile, un artiste quoi. Pourtant. Que se serait-il passé si ce soir-là, elle avait accepté de l'écouter? Le regard limpide de ma mère s'absentait parfois. Peut-être entendait-elle encore le ressac de la mer, qui avait rendu le corps inanimé à la grève. Ma grand-mère maternelle avait alors quitté Chypre pour le Portugal, où elle vécut deux ans avec sa fille chez des cousins, avant de rejoindre Toulouse.

Marianne a patiemment sculpté le souvenir de son père. Aucun homme ne parviendrait à l'égaler. Marius la distrayait de ses obsessions : cette qualité valait sans doute une alliance. Hadrien peignait, écrivait des poèmes à la craie sur le ventre des bateaux, et jouait si bien de la mandoline que les oliviers en gémissaient. Avant de sauter, mon grand-père avait pris soin de se déshabiller. On avait retrouvé son costume plié, posé sur une pierre, sec. Jamais son instrument.

J'oublierais l'existence de ce séjour à Chypre jusqu'à ce que le *Nu provençal* de Willy Ronis (une femme, de dos, capturée au cours de ses ablutions matinales), rencontré par hasard à la Maison européenne de la photographie, me rappelle ce pays où les pierres emprisonnent le soleil, et brûlent encore, longtemps après la nuit.

Ma mère était une voix. Rauque au réveil, aux accents d'écorces et de nicotine, mais, une fois assouplie, plus douce et précise qu'un rasoir glissant sur du satin. Une mélodie l'accompagnait toujours. À dix-huit ans, elle chantait dans les rades enfumés de la place Jeanne d'Arc, du blues, de l'opérette, puis les cafés s'étaient agrandis, une contrebasse s'était jointe au piano, et à vingt ans, son nom griffonné sur une affiche attirait une faune imprécise (étudiants, amants, insomniaques, quelques Grecs aussi, trompés par son patronyme) sous les voûtes en berceau des caves toulousaines. Elle racontait souvent l'histoire du grand-producteur-ami-d'Aznavour qui l'avait invitée à Paris. Là-bas, prétendait-il, une carrière l'attendait.

Marianne était tombée enceinte : sa carrière ne l'avait pas attendue. Plus tard, bien plus tard, je la surprendrais au piano, de dos, le doigt suspendu au-dessus d'une note, rêvant peut-être à l'autre Marianne, celle qui serait partie et aurait choisi son destin. Sans doute en voulait-elle à mon père, et à moi aussi, dont la « venue surprise » (c'était le terme qu'elle utilisait) avait piétiné ses rêves de jeunesse. Ce n'était pas si grave. Nul sentiment, chez elle, n'était durable.

Ma mère était une femme inconstante. Malgré des efforts sincères, elle ne parvenait jamais à occuper l'endroit où elle se trouvait. L'instant lui semblait trop étriqué. Un jour, elle nous entraînait au théâtre, ou convoquait en urgence un professeur de dessin pour m'apprendre la « ligne de fuite », avant de décréter que le prof ne valait rien, que la saison théâtrale coûtait trop cher, et ils osent parler d'accès à la culture. Je ne lui ai jamais connu qu'une passion véritable : les autres. Certaines personnes préfèrent aimer qu'être aimées. Ma mère s'était mis en tête de secourir l'humanité, avec ou sans son accord. Elle s'offrait aux causes perdues avec une énergie désespérée. La mort de Caillou l'avait laissée prostrée une semaine. Jusqu'à l'apparition d'Antoine. Père immature, mère inexistante, son CV familial était une aubaine. Elle l'arracherait aux griffes de l'injustice, rétablirait l'équilibre. Elle y a, en partie, réussi. En partie seulement, parce que depuis le début, c'était son âme qu'elle cherchait à sauver.

La naissance de Benjamin l'a délivrée. Elle n'avait

plus à battre la campagne. Marianne a calé sa respiration sur celle du nouveau-né. Elle lui a même offert ses yeux bleus. Benjamin, c'était le présent, là, tout de suite. Elle a renoncé à changer le monde. Le monde, désormais, habitait sous son toit.

Par un troublant effet mimétique, Benjamin s'est conformé à ce que ma mère attendait de lui, sans qu'elle ait jamais eu besoin de le formuler, développant les qualités qui me manquaient. J'avais été un brouillon prometteur, il serait l'œuvre de la maturité – un enfant calme, appliqué, réfléchi, jamais un mot au-dessus de l'autre, toujours une pensée en avance. Il n'était un exercice entrepris qu'il ne réussissait, avec une aisance déroutante. Tout le monde l'aimait ; ce qui est toujours suspect, sauf dans son cas : les autres se contentaient de lui rendre la tendresse qu'il prodiguait. Benjamin n'était farouche qu'avec moi. Les rares moments où nous nous retrouvions seuls dans une pièce, je le sentais mal à l'aise, sur le qui-vive, il avalait son assiette à toute allure, et courait se réfugier dans sa grotte. Les années n'y ont rien changé. Nous vivions sur le même bateau, dans des cabines différentes, et ne nous croisions que sur le pont, à l'heure des escales, dîners ou dimanches. J'attendais qu'il vienne me chercher, j'aurais tant aimé qu'il gratte à ma porte, sollicite mon intérêt ou mon aide, j'aurais prétendu que j'étais occupé, avant de le rejoindre dehors, et nous aurions couru à nous crever les gencives, je l'aurais roué de coups pour de faux, il m'aurait terrassé. Quand il est né, il était déjà trop tard.

Notre différence d'âge nous séparait plus sûrement que les cloisons de nos chambres. J'avais grandi sans lui. Il ne s'intéressa jamais à moi. J'étais un étranger qui vivait avec eux, qu'il tolérait par habitude. Mais je n'avais pas dit mon dernier mot. Son anniversaire approchait. J'allais sur mes dix-huit ans, et je vivais une période d'orage. Je n'étais pas heureux de ce que j'étais en train de devenir, je n'étais même pas certain de devenir quelque chose. Le temps qui passe nous rétrécit, et moi qui rêvais de lointaines aventures.

Nous avons enterré Benjamin sous une pluie froide. L'averse cognait aux vitraux de l'église. Nul n'a entendu les paroles du jeune prêtre quand il en a appelé à notre pardon. Je venais de sortir de l'hôpital, et l'envie de vomir ne m'a pas quitté de la journée.

Nous sommes devenus des objets étranges, des célébrités macabres. Du jour au lendemain, je me suis mis à appartenir à tout le monde, aux curieux, à la rumeur, à *La Dépêche du Midi*, je n'étais plus Simon Reijik, mais celui-qui-avait-perdu-son-petit-frère. Un jour, au bureau de poste, une vieille dame m'a caressé la main. Celui qui a souffert existe, *intensément*. Très vite, la compassion distille son poison. Nous voilà réduit à un bloc de souffrance. Les autres pleuraient Ben, mais qu'est-ce qu'ils y connaissaient à la douleur ? Pourquoi aurais-je dû partager mon malheur avec eux ? Avaient-ils seulement adressé la parole à mon frère, un jour ? Je ne jouais pas le jeu, je ne fondais pas en larmes à la simple évocation de son prénom. Leur empathie me répugnait. Un jour, au bureau de tabac, j'ai été pris d'un fou rire, parce que le patron ne parvenait pas à compter la monnaie entre ses gros doigts. On s'est éloigné de moi, comme si j'étais devenu fou. Alors, on a cessé de m'adresser la parole. Et puis, c'est peut-être contagieux ce truc-là, le malheur. Les regards chuchotent « c'est le destin », de plus en plus loin. Je m'en foutais bien du destin. Je ne savais même pas comment survivre.

Le mois d'août fut caniculaire. Les doryphores restaient collés au bitume, les sauterelles grillaient en vol, et dans les champs, les tournesols avaient brûlé sur pied. On entendait les arbres craquer de douleur. Les habitants se réfugiaient dans les bars ou les églises, selon leurs croyances. Ciel blanc, flaques d'ombre : on n'avait pas vu ça depuis 1976. Les paysans pleuraient, nous aussi, pour d'autres raisons. Les températures se moquaient de notre deuil. Les grillons du soir, groggy, assuraient le service minimum. La chaleur, c'est le silence. À la nuit, s'élevaient du sol des buées moites. La vie se poursuivait, dérisoire. Faits divers et potins de stars se disputaient la une de *La Dépêche*, campements gitans, incendies criminels, intrigues monégasques. Et aussi : « Elle tombe dans un puits et survit à la chute. » Au café, on se jetait sur l'entrefilet relatant les résultats de l'équipe de basket féminine locale. Benjamin aura connu une brève notoriété – cinq lignes, assorties d'une photo floue. Sa vie se sera résumée à sa mort.

Ma torpeur n'avait rien à reprocher aux saisons. Dès le

réveil, je me sentais à bout de forces. Toute sortie réclamait un effroyable effort, les tentatives de recréer un semblant de normalité (saluer un voisin, répondre au téléphone, aller à la boulangerie) se heurtaient à cette lancinante interrogation : à quoi bon, désormais ? Rester vivant était déjà si compliqué. Je m'éveillais la poitrine compacte, incapable de respirer. Une nuit, un nain aux traits difformes, maquillé comme un clown, est venu s'asseoir sur ma cage thoracique : il m'observait rêver de lui en grimaçant de joie. Les docteurs m'ont prescrit des médicaments. Ils ne promettaient pas la guérison – «plutôt un apaisement progressif, il faut laisser passer le temps». Le temps a passé, la douleur n'a pas reculé. Les drogues l'ont brouillée, à peine.

Mon existence s'est effondrée en moins d'un mois. Un cataclysme silencieux. D'abord, la musique a disparu. Ma mère a rabattu le couvercle de son piano et cessé ses cours. Puis ce fut au tour des odeurs. Les plats du samedi ne mijotaient plus dans les cocottes en fonte dont j'entrebâillais le couvercle pour humer le clapotis de la cuisson. Le deuil, ce sont des boîtes de conserve dans le cagibi et du pain de mie congelé. Les mots, enfin, nous ont abandonnés.

Les premiers temps, des amies venaient visiter ma mère avec des gâteaux. Elles s'installaient sous les grands portraits de mon frère que Marianne avait fait accrocher partout dans la maison, jusque dans les toilettes. Parler, parler, leurs bouches s'étiraient, aspiraient la crème des choux avec des succions de hamster, elles avaient dû lire dans un magazine psycho qu'il fallait habiter le silence, mais elles l'étouffaient, un bourdonnement ces dames-là, elles n'étaient pas méchantes, simplement maladroites. Ma mère, polie, grignotait l'angle d'un financier, trempait les lèvres dans sa tasse de thé. Quand un sanglot inattendu la secouait, une main timide lui grattait le dos en regardant ailleurs. J'assistais à ces après-midi lugubres, avec le sentiment d'enterrer mon frère de nouveau. Mon père ne fuyait jamais loin. Quelques pas dans le jardin, pour brancher le tuyau d'arrosage, en oubliant de s'en servir. Une cigarette, qu'il jetait aussitôt. Et puis, un jour, on ne vit plus personne. Le téléphone cessa de sonner. La maison est devenue froide. Cela convenait très bien à ma mère : elle n'avait jamais eu l'intention de guérir de Benjamin.

Mon frère cannibalisait nos solitudes. Il n'était pas un lieu qui n'ait été hanté par sa mémoire. Ben s'asseyait avec nous à table, se glissait entre deux mastications. Hors de question d'utiliser sa chaise, ou de laver sa serviette tachée de Nutella. Un Rubik's Cube, les hélices d'un bimoteur en plastique, un crayon mâchouillé : autant de reliques que ma mère alignait cérémonieusement, au-dessus de la cheminée.

Le reste du temps, elle consacrait ses journées à l'entretien de «la chambre du petit», son territoire exclusif, sa propriété sentimentale. Elle désinfectait figurines, soldats, lances, château fort, Playmobil, à l'alcool à 90. Un après-midi, par la porte entrebâillée, je l'ai trouvée endormie, la tête entre ses bras, sur le bureau de Ben. Plusieurs de ses ongles étaient fendus. De son poing, j'ai extrait un animal en plastique, de ceux qu'il lui réclamait sans cesse, vendus en vrac dans les supermarchés. L'empreinte du rhinocéros avait écorché sa paume.

Un autre matin, ma mère a disparu avec la Mercedes, qu'elle n'avait jamais conduite. Nous l'avons guettée toute la journée. Mon père s'apprêtait à contacter la gendarmerie, quand la voiture est apparue, le siège arrière couvert de paquets cadeaux. « C'est une surprise… Pour son anniversaire. » Ma mère s'est précipitée dans la cuisine, pour en ressortir avec un gâteau poire chocolat. Quand il a fallu chanter « joyeux anniversaire » à une chaise vide et à un bavoir, j'ai quitté la pièce. « Qu'est-ce qu'il lui prend ? » Ma mère a soufflé les bougies. Mon père a tenté de lui expliquer qu'elle se trompait, que Ben était mort, tu entends, Marianne, il est là-haut, au village, avec une tombe à son nom, reviens parmi nous ! Elle s'est écroulée. Nous avons été contraints de lui maintenir les jambes et les poignets pour qu'elle cesse de trembler. Tout est allé très vite. Elle n'a plus quitté la chambre de Benjamin. Nous l'entendions jouer avec lui, rire aux éclats, le gronder parfois – « Tu nous as fait une de ces peurs ! » Mon père serrait les mâchoires.

Aujourd'hui, j'ai la conviction qu'elle testait sur nous les premiers signes de sa folie. Elle demandait la permission de partir. Quand mon père se mettait en colère, elle inclinait la tête, à la façon d'une enfant prise en faute.

Ma mère a consciemment décidé de perdre la raison. Ce choix réclamait un sacrifice. Elle l'a accepté, sans hésiter. Je revois le talon de mon père, disloquant la poignée de la chambre de Benjamin. De l'autre côté, la voix rassurante de Marianne : « N'aie pas peur mon grand. Ils trouvent que je passe trop de temps avec toi... Ce sont des jaloux. Je vais leur dire de nous laisser tranquilles. » La porte a fini par céder. Deux jours que ma mère refusait de sortir. Glissés sous le drap, des peluches et un oreiller laissaient croire qu'un petit corps se reposait. Le regard sévère, elle a posé un doigt sur ses lèvres. Chut, il s'est endormi.

Ils sont venus la chercher un matin, à 6 h 30. Elle a grimpé dans la fourgonnette sans lutter, la fourgonnette a tourné devant les deux peupliers, un nuage de poussière, c'était fini. Elle nous a quittés sans un regard. Je me suis retrouvé seul avec papa. Il ne m'adresserait plus la parole. C'était comme s'il avait cessé de me voir. Rien n'est définitif. Pas même l'amour que les parents sont censés porter à leurs enfants.

Chapitre 19

Ma mère partie, ma famille a cessé d'exister. Refusant d'assister à l'agonie finale, je me suis exilé chez mon grand-père. Mon paternel n'a rien trouvé à dire. Je ne sais même pas s'il s'est rendu compte que j'avais abandonné ma chambre. Grand-père m'a accueilli sans poser de questions. Il a jeté un matelas, un oreiller et une couverture dans le salon, près du petit insert, et m'a demandé si j'avais faim. Cela me suffisait. Notre cohabitation a duré deux mois, jusqu'à sa mort. Grand-père m'a enseigné les outils, le travail du bois et celui de l'oubli. De vieux amis venaient le visiter après la sieste, et comme ils avaient les jambes encombrées de rhumatismes, ils demeuraient assis, jusqu'à ce que la faim ou la nuit les chassent. Un soir que nous étions seuls, Grand-père m'a demandé de déplier les chaises de camping en toile sur la terrasse. Il a versé deux verres de porto et nous avons pris place. Le soleil roulait sur les coteaux, poussé par une brise ténue. Des hirondelles tournoyaient au-dessus de nos têtes. « Il va

pleuvoir», a lancé Grand-père. En face, les épis de blé en
ont frémi.

«Nous avons bien failli ne jamais nous rencontrer,
toi et moi», continua-t-il d'une voix râpeuse, si lente
que je m'attendais à ce qu'elle s'éteigne, à bout de mots,
mais il poursuivit: «En temps de guerre, le destin est
plus fragile que cette toile d'araignée… C'était quatre ou
cinq jours après mon départ de Zakopane. Je marchais
vers la frontière. Je ne savais pas si la Pologne avait capi-
tulé, si l'Europe était entrée en guerre, je ne savais rien,
si ce n'est que je devais avancer, sans me retourner, et
mettre le plus de distance possible entre la nuit et moi.
Je croisais des spectres, le regard rivé à un horizon qu'ils
étaient seuls à apercevoir. Le ciel était noir et les campagnes désertes. Mon pays avait disparu. Plus de trognon
de pomme ou de croûte de fromage à suçoter. Les autres
jours, j'avais pris soin d'attendre la nuit pour progresser,
je longeais les routes, abrité par la végétation, mais j'étais
épuisé et j'avais soif. Alors, n'ayant croisé âme qui vive
depuis vingt-quatre heures, j'ai décidé d'emprunter un
petit chemin de terre qui courait à travers champs plutôt que de me déchirer les genoux dans les ronces. Des
nuages annonçaient la pluie, ils ne ressemblent pas à ceux
d'ici, là-bas, on dirait des pierres en suspension dans le
ciel. Au détour d'un bois, j'ai distingué une ferme. Je me
suis approché. Les portes étaient grandes ouvertes, les
bêtes absentes de leurs enclos. Une poule maigrichonne
picorait des cailloux. La perspective d'une nuit à l'abri

me fit oublier toute prudence. Après tout, je ne serais à découvert que quelques mètres. Je n'avais pas fait un pas que deux hommes en uniforme olive sont apparus. Suivis de deux autres, armes en bandoulière. Je me suis jeté dans un fossé. Une dizaine de corps reposaient, face contre terre, dans quelques centimètres de boue. Leurs membres étaient tordus en tous sens. Les fermiers des environs, sans doute. Ou juste des types qui n'avaient pas eu de chance. J'ai pris ma place dans le charnier. J'en suis pas fier, Simon, mais je me suis glissé sous un cadavre. J'espère que son âme m'a pardonné, depuis. »

À cet instant, Grand-père a agrippé les accoudoirs de la chaise, comme si le monde s'était mis à tanguer. Sa voix n'a pas tremblé lorsqu'il a repris : « J'ai fermé les yeux pour ne pas que la mort m'aperçoive. Mais j'avais respiré son haleine, et la patrouille a continué d'approcher. Ils étaient là, à quelques mètres. Je pouvais les entendre discuter, en polonais. Ils devaient regarder les corps, puisque l'un d'eux a ricané : "Dommage pour celle-là, elle avait un beau cul." Une colère furieuse m'a envahi, j'étais prêt à me relever pour leur cracher au visage. Seulement, j'avais promis à mon père de survivre. L'un des soldats s'est avancé. Le jour était en train de tomber, en flocons, en cris de corbeaux. Il est debout, au-dessus de *nous*. Imagine-moi, mort parmi les morts. J'ignore où il regarde. Il aurait pu décharger son revolver sur mon dos, je n'en aurais rien su. J'ai l'impression de sentir son souffle. Je dois m'évanouir quelques secondes – je suis réveillé par une sensation étrange, un filet tiède qui serpente sur mon crâne, jusque dans mon cou. La petite troupe l'avait rejoint et ils urinaient tous, en cœur, sur les cadavres, en crachant des rires de gorge... Cette histoire, j'aurais été incapable de te la raconter, il y a quelques années. »

J'ai attendu la suite. Il n'y en avait pas. Grand-père laissait les silences s'épaissir. Je me suis levé et j'ai rapporté la bouteille de porto. Nous attaquions notre troisième verre, lorsqu'il a froncé les sourcils : « Mes souvenirs sont remontés à la surface, quelques semaines après la mort de ta grand-mère. Par bribes, et dans le désordre. Je les avais chassés. Pour protéger Ange. Notre avenir me paraissait si incertain, si ténu, que je ne pouvais prendre le risque d'empoisonner une possibilité de bonheur, aussi improbable soit-elle. À la trappe, les horreurs ! Quand Ange est partie, j'ai entrebâillé la porte de la cave. C'est tout ce qu'il nous reste, à nous, les vieux : notre jeunesse. Le vieil os qu'on balance au chien aveugle. Vas-y, régale-toi. On nous laisse triturer, décortiquer. Notre mémoire s'est émoussée. Alors, avant de saluer tout le monde, autant se mettre en règle avec son passé, question de principe. »

J'ai failli lui rappeler qu'il me devait la fin de son aventure, que je l'avais laissé dans un trou, gisant et affamé, mais c'est de lui-même qu'il recommença, à l'endroit même où je l'avais quitté. Les soldats avaient regagné la ferme. Il se rappelait la nuit qui n'en finissait pas, le froid mordant, le bras droit ankylosé, plus loin, les rires, l'odeur du lard grillé, les bouteilles jetées à l'extérieur. « Je suis demeuré allongé, avec mes morts. Quand la campagne est devenue silencieuse, j'ai ouvert les yeux. Tout contre mon visage se trouvait celui d'une gamine, cinq ou six ans, pas plus. Elle portait une robe à fleurs, miraculeusement préservée de la boue et du sang. La petite fille tenait un ours en peluche écrasé contre sa poitrine, comme si elle avait tenté de le protéger. Une larme s'était figée dans son œil droit. La lune se reflétait dans cette larme. Je me suis promis de ne jamais oublier cette enfant…» Je vis la douleur pénétrer les traits de mon grand-père, comme une ombre. J'en eus un frisson.

— Elle s'appelait Eva.

— Comment connais-tu son prénom?

À ces mots, Gregor se leva péniblement, et refusa mon aide. Je l'entendis fouiller au fond d'un tiroir ou d'une armoire. Il revint, essoufflé, et me tendit un ours en peluche au poil râpé, borgne et couturé. Trois lettres avaient été cousues sur son cœur. Je déchiffrai: Eva.

— Prends-le, dit-il.

— Je ne suis pas sûr de…

Gregor le fourra de force sous mon bras.

— Prends soin de mon souvenir quand je ne serai plus là. Aide-moi à tenir ma promesse. Pense à la petite Eva, parfois.

C'était un drôle de serment à demander à son petit-fils, mais j'ai prononcé les mots qu'il attendait, j'ai promis. Une lueur de reconnaissance a traversé son visage. «Les morts m'ont sauvé la vie. Eva m'a sauvé la vie.» Jamais

Grand-père n'avait autant parlé. Il dut s'en rendre compte car il cessa aussitôt, gêné peut-être d'avoir été surpris en flagrant délit de confidence. Il s'est penché vers mon oreille pour chuchoter : « Il ne sert à rien de se fâcher avec son passé. Il finit toujours par te retrouver et exiger des excuses. » Lentement, il s'est dirigé à l'intérieur, le dos brisé. Il emportait ses fantômes avec lui, me laissant seul avec les miens.

Maman était partie depuis un mois, je n'avais aucune nouvelle d'elle. Elle s'était évanouie. Le monde continuait à tourner. Il ne me restait plus qu'à l'imiter. Les premières gouttes se sont écrasées contre le carrelage de la terrasse. Un chien a aboyé. J'ai baissé les yeux vers le petit ourson, avec l'impression d'avoir un bloc de glace coincé contre ma poitrine.

Chapitre 20

— Marianne…

Mon père se glisse dans la chambre, moi dans ses pas, je ferme la porte.

— Marianne, c'est moi, c'est Marius. (Il hésite.) Je ne suis pas seul…

Deux petits chaussons roses, dans la pénombre. Un pantalon de lin, un chemisier brodé. Ma mère est installée sur son lit, mains jointes. Je déteste les chambres d'hôpital, plus encore celles des maisons de « repos » ; mise en scène grotesque de la réalité, reconstruction à petit budget d'une intimité mensongère, censée convaincre le patient qu'il est chez lui, et qu'en sortant, il croisera le sourire amical du voisin. Ma mère a des voisins, c'est vrai : le premier porte des couches, l'autre, sa copine Esther, lui demande son prénom chaque matin. La chambre de ma mère ressemble à celle des autres pensionnaires : un cube aux murs lavande, au parfum lavande, et, disposés selon un plan rigoureux, une armoire beige, un lit médicalisé, une lampe et son chevet. Les patients ont le loisir d'apporter quelques motifs de décoration personnels. Ma mère aime le point de Beauvais, alors elle brode. De grands portraits, accrochés partout dans la pièce. Des figures d'enfants, aux yeux immenses et aux cils disproportionnés. Aucune expression n'anime leurs visages. On les croirait de cire, ou noyés. Un poisson rouge bulle dans un aquarium minuscule. Les animaux ne sont pas acceptés dans l'établissement. Arthur Sirdey a consenti une exception.

Elle nous observe, l'un après l'autre, inquiète. Un rayon, un instant, éclaire ses traits. Elle lève une main de porcelaine, pour s'en protéger. La solitude des instituts médicalisés, l'infinie répétition de tâches similaires l'ont préservée des sarcasmes du temps. Sa peau lisse, d'une pâleur presque translucide, évoque un portrait de Vélasquez. Que sait-elle du monde qui l'entoure ? L'humanité est entrée en fusion, elle nourrit son poisson. Des églises sont mitraillées, des tombes profanées, elle joue aux dés, parfois aux dominos. Mon père paraît un ancêtre. Toute dévouée à son deuil, ma mère en a oublié de vieillir.

Elle ne semble pas comprendre la raison de notre présence. On lui a demandé de patienter dans sa chambre, au milieu de l'après-midi ; une telle rupture du protocole la rend nerveuse. Au royaume de l'immobile, tout changement suppose une nouvelle désagréable. Je reste près de la porte, le dos collé au mur. Est-ce son parfum ? Ou le vent qui dérange le rideau de sa fenêtre entrouverte ?

179

Simplement peut-être l'heure propice, qui n'est plus le matin et pas encore le soir. Quelque chose en moi se déplace, voudrait s'élever, la sensation, à la fois imperceptible et minutieuse, d'un souvenir oublié. Je devais avoir trois ou quatre ans, au sortir d'une sieste tardive, l'esprit encore prisonnier de la toile des rêves, quand ma mère s'était assise, sur le lit, à côté de moi, m'obligeant à coller mon bras le long de mon corps. Je me souviens qu'elle portait une robe et qu'elle était parfumée, comme si elle s'apprêtait à sortir. Les gens ne savent pas regarder, m'avait-elle dit, en jouant avec mes boucles. Les collines que tu vois depuis ta fenêtre sont en vérité les ventres de géants assoupis. Les oiseaux que tu entends piailler gîtent au creux de leurs oreilles. Quant aux ruches, c'est qu'ils raffolent de miel! Tu n'as pas à t'inquiéter, ils ne feraient pas de mal à une mouche. Bien sûr, de temps à autre, ils dévorent un bœuf ou une oie, mais nous en mangeons aussi, après tout. Quand un bout de viande se retrouve coincé entre leurs incisives, ils utilisent des arbres en guise de cure-dent, et ça les fait rire à pleine gorge parce que les branches chatouillent leur palais. Comment ça, tu n'as jamais entendu rire un géant? Écoute, tu entends? Là-bas, de l'autre côté de la colline… Le rire des géants s'est éteint depuis longtemps, mais une évidence m'apparaît, brutalement. C'est comme si je réalisais, pour la première fois, que j'avais été heureux.

— J'attends Esther, s'obstine ma mère. Je prépare le thé, elle apporte les madeleines.

Mon père s'assied sur le lit, laissant un bras de distance entre eux.

— Le docteur vient de nous dire que tu étais guérie… C'est pour ça que nous sommes là.

Le réveil, depuis la table de nuit, découpe le silence. Cinq secondes s'écoulent. Ma mère ne réagit pas.

— Prends le temps que tu veux, Marianne. On peut t'aider à faire ta valise, t'attendre dehors, ou revenir dans une heure. Dès que tu te sens prête, on rentre à la maison. Si tu savais… Si tu savais comme je suis heureux.

Elle l'écoute, elle l'entend. Ses mains réduisent en lambeaux un petit mouchoir en papier. Mon père étend son bras, pose une main sur la sienne. « Simon est revenu. » Cette fois-ci, quelque chose se produit. Je le sens *physiquement*. L'air se raréfie. Le buste de ma mère se soulève, elle tourne la tête à droite, à gauche, elle cherche une issue. Un cri enfle au fond de sa poitrine. Dernier souvenir d'elle, il y a vingt ans. Je souhaitais l'embrasser, la veille de mon départ. Ma mère hurle des insanités. Convulse de rage. « Reculez-vous, monsieur. » Deux infirmiers la maîtrisent. Un médecin lui injecte une rasade de chlorpromazine. Elle tend l'index dans ma direction : « Mon petit Benjamin, mon tout petit bébé… qu'est-ce que tu lui as fait ? » On m'entraîne à l'écart. « Vous devriez revenir plus tard… » Ma mère a baissé les yeux.

— Je suis très bien, ici.

— Marianne…

— Je me sens bien ici, répète-t-elle.

181

— Je ne comprends pas, reprend mon père, à bout de souffle. Toutes ces années, enfermée, à suivre les posologies des médecins. Tu aimais tant la liberté, cela ne te ressemble pas. Tu n'as jamais eu envie de partir ? D'aller voir de l'autre côté du portail ?

— Je sais ce qui m'attend de l'autre côté.

Je me suis réfugié, contre l'armoire, dans un coin d'ombre. Je ne devrais pas être là.

— Ici, on s'occupe de moi. Je ne suis responsable de rien.

Mon père s'est agenouillé au pied du lit.

— Marianne, mon amour, faisons un pari. Parions que tout est encore possible. Que nous pouvons encore nous sauver. Jamais nous n'oublierons Benjamin, je te le promets. Laisse-toi une dernière chance. Notre vie passée ne signifie donc plus rien pour toi ?

Le souvenir d'un sourire illumine le visage de ma mère, un bref instant.

— J'ai repris le piano.

— Tu vois ! s'exclame mon père, les yeux brouillés de larmes. Tu pourrais continuer à la maison. Je m'occuperai de toi. Nous partirons en voyage, je cuisinerai…

Elle hausse doucement les épaules.

— Ne raconte pas de bêtises. Tu n'as jamais su cuisiner, Marius.

— Alors, j'apprendrai !

Mon père a posé les lèvres contre ses mains. Comprenant que ma présence dans la pièce n'est plus souhaitée, je me faufile à l'extérieur, et de l'index, congédie une larme qui cherchait à me prendre par traîtrise. Arthur Sirdey annote des documents administratifs, dans le couloir.

— Vous auriez dû me prévenir, Arthur.

Il ne lève pas les yeux de ses dossiers.

— Un problème?

— Plutôt un mauvais pressentiment. Je connais ma mère, c'est une tête de mule.

— Laissez-lui une heure ou deux.

— Vous êtes bien sûr de votre diagnostic?

Il m'observe par-dessus ses petites lunettes rondes.

— Votre mère peut vivre normalement. Depuis quelque temps, elle mime certaines défaillances afin de prolonger son séjour parmi nous. Il y a deux nuits, elle a volontairement mouillé son lit.

— Pour quelle raison ferait-elle ça?

Sirdey finit par tendre les documents à un infirmier, range ses lunettes dans la poche de sa chemise, et m'invite à le suivre dans le jardin.

— Vous avez été généreux avec nous, et avec moi en particulier, mais nous ne pouvons mobiliser une chambre pour y loger une personne en parfaite santé, simplement parce qu'elle craint d'affronter le monde extérieur. Les dossiers en attente sont nombreux : je ne peux plus justifier la présence de Marianne. Question de déontologie.

— Elle me semble encore fragile.

Sirdey m'offre un sourire radieux.

— Votre mère est une actrice hors pair. Nous avons

retrouvé une centaine de comprimés, dissimulés un peu partout dans sa chambre. Le traitement des six derniers mois. Faites-moi confiance. Il suffira de la surveiller. Je suis persuadé que votre père s'acquittera de cette mission avec brio. J'ai rarement observé une telle constance amoureuse, un tel souci d'autrui… Chez un homme, j'entends.

Le voilà justement qui apparaît, visage lugubre. Il nous dépasse, sans dire mot. Je prie Sirdey de nous accorder un peu de temps, vingt-quatre heures, et rejoins mon père, en deux enjambées.

— Je n'aurais pas dû t'accompagner.

— Ça n'aurait rien changé. Va savoir les saletés qu'on lui donne ici. Ces trucs finissent par altérer la raison.

Je retire le nœud papillon. La Mercedes s'engage en dérapant sur le chemin. Les portes s'ouvrent avec lenteur.

— Il faudra bien qu'elle te pardonne, murmure-t-il tout bas, comme s'il craignait d'être entendu.

crevé (mais « récupérable »), bloc de ciment, pieds de lampes, collection de chaises trijambistes (« à rempailler ») arrachées à la décharge, rameur, tableau à craie (sur lequel on distingue le reste d'une équation), arceau de basket rouillé, baignoire d'enfant à pattes de lion, cartons d'où perce le pied d'un mannequin... Les armoires du diable sont mieux ordonnées. J'extrais du chaos la tondeuse à gazon, et un bidon d'essence poisseux, à moitié rempli. Une araignée de taille olympique se promène sur le manche, je lui cède la priorité.

À la campagne, le caractère d'un homme se devine à la taille de sa voiture et à l'état de sa pelouse. Celui-ci, désinvolte, un peu artiste, la laissera libre et désordonnée : il se consolera en écoutant les merles venus nicher au creux des branches épaisses, ou le bourdonnement des abeilles butinant ses lavandes sauvages, plantées là au hasard ; cet autre (papa militaire, maman institutrice) la tondra ras hiver comme été, laissant la terre affleurer par endroits : les végétaux le savent, nulle dérogation à l'ordre établi ne sera tolérée, d'ailleurs, ils ont préféré migrer dans le champ d'à côté. La pelouse verte et grasse de ce patron de PME se rêve en golf privé : la végétation ne supporte d'être foulée que par des mocassins. D'autres jardins, sculptés par des paysagistes (buissons en boules, arbustes en cubes, bassin à carpes), tremblent à chaque sortie de la maîtresse de maison, femme au foyer intraitable avec les moutons de poussière et les poils de son caniche nain. Celle de mon père évoque un monde d'avant l'homme, l'exubérante liberté des origines. Une jungle hirsute. Orties, fascines, chardons, buissons plats se poursuivent et s'étranglent. Lutte âpre au terme de laquelle les ronces, on le devine déjà, étendront leur empire. Je me fixe comme mission de rétablir l'équilibre entre l'homme et la nature. Effacer le passé. Ma spécialité, en somme. En guise d'alliée, nulle banque d'images ou programmation redoutable, une simple tondeuse à essence, dont l'acte de bravoure le plus significatif aura été de résister à la modernisation du monde agricole. Elle porte même un petit nom, Lucy. Lucy a toujours répugné à avaler chardons et plantes grasses, préférant l'herbe tendre et les coquelicots. Fallait pas vivre à la campagne, chérie.

Lucy ouvre des tranchées, se coltine fourrés et fossés, sans rechigner, engloutit des glands par centaines, qu'elle recrache, sans les mâcher. Je suis en nage, assailli par une nuée d'insectes. Mon père m'observe depuis la fenêtre. Laura m'apporte une citronnade, que j'avale, le souffle court. Il est dix-neuf heures, et le soleil s'attendrit quand Lucy s'effondre. Je la descends à la cave.

— Qu'est-ce que tu cherches encore, dans ce foutoir ?

Mon père m'attend à la sortie du garage, écrase un taon contre sa cuisse. J'émerge, couvert de toiles d'araignées, tenant entre mes mains un vieux barbecue cabossé, aux grilles carbonisées – ou devrais-je dire, «le vieux barbecue», puisque nous n'en avons jamais possédé qu'un seul, celui-là même qui assista, trente ans auparavant, à l'intrusion d'Antoine dans nos vies. Constatant la perplexité de mon père, je précise : « Voilà notre arme de reconquête. » Je lui expose ma stratégie : un barbecue géant, comme au bon vieux temps, de celui qui reste dans les annales : « Je te promets que l'odeur des côtelettes grillées fera saliver jusqu'au château de Saussens. » Il hausse les épaules ; ne te donne pas cette peine, personne ne viendra. Il se moque de mes doigts criblés d'ampoules, tu es parti depuis trop longtemps, la capitale t'a ramolli. Puis s'en revient à la maison, épaules basses, les volants de sa robe de chambre agités par le vent.

Lorsque je rentre, l'air est devenu lourd et chargé de nuages d'oiseaux. La jungle a battu en retraite. Les finitions ne sont pas idéales, l'obscurité maintiendra l'illusion. La transpiration colle à mon cou des herbes urticantes, mes muscles sont à vif. Je retire jean et T-shirt. Laura se repose dans le fauteuil en velours fleuri de Gregor. Ton père est monté se coucher, murmure-t-elle en ouvrant les jambes. Elle est nue sous sa robe à bretelles. Ses cuisses lisses me donnent des envies de morsures. Ses seins ont mûri. Tu sens bon l'essence, glisse-t-elle à mon oreille, ça m'excite. Les paumes de ses mains s'emparent de ma nuque. Je m'agenouille devant son sexe et le prends dans ma bouche. Elle brûle. En fond sonore, sur un air de tam-tam, la voix crépitante de Pierre Arditi parle de l'Afrique qui se meurt à petit feu. Et dans son cadre en bois, je crois bien que la moustache du grand-père frise d'aise.

Ce soir-là, les gouttières tremblent sous l'assaut du vent. Ces boyaux de métal que je prenais, gamin, pour les intestins de la maison. Leurs hurlements me terrifiaient. Les bourrasques crachaient à leurs entrailles une langue engloutie. Toutes sortes de choses mystérieuses en dégringolaient avec fracas. Un jour, une gouttière s'est bouchée. Mon père en a extirpé un rat d'une taille monstrueuse, qu'il a achevé sous mes yeux, à coups de pelle. «Aussi gros qu'un marcassin», se gargarisait-il auprès de ses amis. Il souhaitait le faire empailler, ma mère l'a jeté à la poubelle. Le rat a continué à grignoter mes rêves, et certaines nuits encore, je l'entends gratter dans un pli de ma mémoire.

Chapitre 22

Si je devais raconter mon enfance, j'évoquerais un dimanche. Le jour du lapin aux herbes. Une gousse d'ail, deux tomates mûres, un brin de laurier et quelques olives vertes suffisaient à ma mère pour réinventer notre quotidien. Le parfum dominical flottait dans la maison dès le petit matin. Quelques instants avant de sortir le plat du four, ma mère saisissait à la poêle deux poignées de pommes de terre grenailles, accompagnées d'ail rose et de dés de lard fumé. Le lapin était servi toujours dans le même plat, en céramique d'Amalfi, ultime témoin du voyage de noces de mes parents. Avant même d'y goûter, j'y plongeais un quignon de pain, que j'imbibais de la grasse onctuosité du jus de cuisson. L'après-midi s'étirait, douce et indolente. Aujourd'hui encore, s'il m'arrive de humer ce fumet aux abords d'une gargote, je me retrouve instantanément là, accoudé à cette table burinée, réservant des yeux mes morceaux préférés. Je n'ai jamais retrouvé le goût du lapin aux herbes de ma mère. Un lapin aux herbes? ronchonne mon père. Qu'est-ce que tu vas t'embêter? Laisse tomber cette histoire de barbecue. Il n'a pas tout à fait tort: on va rester sur du concret.

La clochette tinte à deux reprises. À Paris, les portes ne clochettent plus: elles coulissent et s'effacent sans bruit. Un type massif, au physique picaresque, m'accueille, torchon écarlate sur l'épaule. Il bondit derrière son comptoir, sa tête seule dépasse de la vitrine réfrigérée, et à ma grande surprise il me reconnaît.

— Tiens, Reijik le petit! meugle-t-il. Ça fait longtemps. Qu'est-ce qu'on lui sert?

Tout le monde au village connaît monsieur Éric, dit «le Minotaure», le boucher des grandes occasions. Sa spécialité: la viande de taureau tué dans les arènes. Il en fait des saucisses, du boudin, des côtes, des pâtés, et des tonnes aussi, parce qu'il est basque et que c'est inscrit dans son patrimoine génétique. La tête majestueuse de Buenorro, «premier taureau gracié à Bayonne par Pepe Moral le 4 septembre 2005», trône au-dessus d'un mur carrelé. Éric guette ses clients, un hachoir dans la main droite. Quand un habitué demande un morceau de choix, ses pupilles se dilatent, il se précipite dans l'arrière-salle, son cabinet rouge, où il se rue avec fureur sur un énorme bout de barbaque, ahane, et livre un combat homérique interdit aux moins de dix-huit ans. Ceux qui aperçoivent son bras maculé d'hémoglobine ne peuvent s'empêcher de frissonner, car s'il est capable de s'acharner ainsi sur un taureau, la créature terrestre qu'il respecte le plus au monde, que

191

réserverait-il à la toute vieille, qui réclame son escalope de poulet coupée en deux, pas trop fin, ni trop gros, et un petit bout de gras pour son chat, ou à madame Simone qui trouve sa saucisse trop salée, qu'est-ce qu'elle y connaît à la salaison, Simone, elle a été instit' toute sa vie, si ça continue, j'vais lui mettre les points sur les «i». Il a toujours un mot pour sa viande, qu'il quitte à regret, «Vous m'en direz des nouvelles de celle-là, une vraie princesse, on y entre comme dans du beurre...», mais se ressaisit aussitôt, et d'une voix persillée, claironne: «Ça sera tout, ma p'tite dame? Vous n'allez pas vous étouffer avec ça! Une saucisse au piment d'Espelette, peut-être? Elles viennent juste de naître.» Monsieur Éric a sûrement de vieux comptes à régler, des trucs qui remontent à l'enfance. Son père, raconte-t-on, était végétarien.

Le Minotaure présente sa nouvelle collection, de la haute couture; un étal de côtes de bœuf de Salers, grises et croûteuses, maturées quatre-vingts jours. Il en décroche trois, et aussi dix côtelettes d'agneau, autant de côtes de porc, une demi-douzaine de grosses entrecôtes, des chipolatas, des merguez et, c'est cadeau, six gros chorizos à griller. Mettez-moi aussi une belle tranche de terrine de taureau de manade aux trompettes-des-Maures. Trois cents euros de barbaque. Le prix à payer pour se trouver au sommet de la chaîne alimentaire.

Je prépare la marinade (soja, miel, armagnac, piment d'Espelette) lorsqu'un baiser se pose dans mon cou. Laura colle son corps au mien. Laisse-toi faire, et elle m'entraîne vers l'appartement de Gregor. Elle est nue lorsque me parvient un bruit de vaisselle cassée. J'attends les jurons qui suivent – ils ne viennent pas. Un instant, Laura. J'enfile à la hâte mes vêtements. Va sous les draps, j'arrive. Dans la cuisine, j'aperçois la corne grise de ses talons et les bris d'un plat en Pyrex. Mon père est allongé sur le sol, face contre carrelage, un bras replié sous son torse. Un liseré sombre serpente entre les carreaux blancs. Je le retourne avec prudence, humidifie un torchon, que je promène sur son visage. Je presse son arcade, ouverte. Il revient doucement à lui, cligne des yeux, paraît surpris de me voir.

— C'est Simon, lui dis-je.

— Tu me prends pour qui ? (Il fronce les sourcils.) Aide-moi à me relever, au lieu de dire n'importe quoi. Et ne fais pas cette tête, on jurerait que tu as vu un fantôme.

Il s'assied sur une chaise. Je lui tends un verre d'eau, il se contente d'y tremper les lèvres.

— Sers-moi plutôt une vodka glacée.

Je m'exécute.

— Cela t'arrive souvent ?

— Qu'est-ce qui m'arrive souvent ?

— Les vertiges.

Il avale une lampée. Le sang revient à ses joues.

— Je suis plus tout jeune, c'est tout.

— Tu as consulté ?

Il hausse les épaules avec mépris. Mon père n'a jamais mis les pieds dans un cabinet médical de sa vie, ça le rend nerveux, et puis, je suis véto, je le saurais si j'avais des

193

soucis, un petit coup de fatigue, je te dis. Je jette quelques glaçons dans un torchon : « Presse ça contre ton arcade, et va te reposer. Je m'occupe du reste. » Laura, demeurée seule, s'est endormie. Je remonte le drap au-dessus de ses seins.

La cuisine de mon père, ce no man's land abandonné à l'imagination des microbes. Tentative d'inventaire baroque : paquets de farine infestés de charançons. Tupperware à l'intérieur desquels le vide est parvenu à pourrir. Le pain d'épices a servi de biotope à une race inconnue de champignons. La vaisselle est recouverte d'une pellicule graisseuse, inutile de la laver, il est trop tard. La plupart des verres sont ébréchés, et les trois quarts des petites cuillères ont mystérieusement disparu. Le téléphone de mon père sonne. C'est pour moi : « Tout est prêt, m'assure-t-on. Demain, ça va être historique. »

Chapitre 23

Dix-neuf heures. Le vent a faibli. Le charbon siffle. Le soir électrise les hirondelles. Mon père me regarde installer les planches sur les tréteaux, en se grattant le crâne. Sa paupière, tendue, violacée, abrite un œuf de pigeon. Il a consenti à retirer sa robe de chambre. Il porte une chemise Ralph Lauren, un pantalon de toile écru, et deux mocassins taupe à grelots, exhumés des entrailles d'une armoire, qui lui donnent l'allure d'un petit patron en goguette à Honfleur. «Ta femme a tenu à ce que je m'habille. Je me sens à l'étroit.» Le jour s'engourdit. La terre respire à peine.

Le premier à se présenter est notre voisin de la colline d'en face, Odilon «le Viking», monstre roux de deux mètres, chasseur de sangliers et éleveur de poules. Quand j'étais gosse, il allumait de grands feux médiévaux, au seuil de l'été, tous les 30 mai, jour de la mort de Jeanne d'Arc. À soixante-quinze ans, sa chevelure rouge brûle encore au sommet de son crâne. Il embrasse son vieil ami, broie mes phalanges. «Donne-moi un coup de main, petit.» Nous extrayons de son pick-up un barbecue flambant neuf, aux airs de mini-panzer: «Fabrication allemande, les meilleurs. On peut pas nier aux types une certaine efficacité en la matière.» Cela le fait beaucoup rire.

Le terrain ressemble bientôt à un parking de cinéma en plein air. Mon père observe, un peu ahuri, les grappes d'invités venus le saluer. Comment tu t'es débrouillé? Je balaie la question de mon père d'un sourire, le triomphe modeste (Sabot, le patron de la Source, s'est chargé des invitations, je lui ai donné carte blanche). Je reconnais madame Labourcette dans sa robe aux motifs fleuris, vraiment très fleuris, qui me gardait parfois, le mercredi; Jacquot et René, ses potes chasseurs, venus avec Gilbert (toujours vivant!), charmeur de palombes, ivre déjà, ainsi qu'une ribambelle de trognes splendides, à faire pâlir Audiard de jalousie. Et ça se jette sur les chips, le rouge et les olives, que leurs mains aux ongles sales soupèsent un instant avant de les engouffrer, armée de géants au verbe cru, ils s'interrompent, se disputent, éclatent de rires goinfres à croquer les étoiles. Leur impudeur me gênait, je me surprends à la trouver irrésistible. Un type en costume se présente, me tend une carte, j'oublie son nom (qui vient en costard à un barbecue?).

Je retrouve Odilon à l'avant-poste des grillades, «une activité trop sérieuse pour être confiée à une femme». Le gardien du feu est le *padrone* de la soirée. On ne l'emmerde pas, parfois, on lui apporte une Heineken décapsulée. Le prix à payer : être le dernier attablé et dîner froid des morceaux que les autres ont délaissés. Je ne connais pas la moitié des personnes présentes. Odilon, cigare planté entre les dents, commente le pedigree des retardataires. « Lui, c'est Michel, un prêtre défroqué : on raconte qu'il s'enroule dans un boa rose dès qu'il entend du Dalida. Le rondouillard, c'est Théophile, vicomte de Triboulet, petite noblesse mais grand appétit… Tiens ! L'écrivain est venu, il doit chercher l'inspiration. Le conseil régional lui paie une résidence à l'année, à ne rien foutre, on ne sait plus quoi imaginer. Méfie-toi ; il parle peu mais picole plus que les autres. De toute façon, les bonnes bouteilles, on ne les sort qu'à la fin – pour ceux qui restent. » J'aperçois aussi le croque-mort, bras dessus bras dessous avec la blonde de la morgue. Monsieur Éric rôde pour s'assurer que sa viande est bien traitée. « On va commencer à servir », annoncé-je. Applaudissements. La soirée se porte bien.

Une femme mûre, qui a dû être jolie, me remercie d'un sourire, tandis que je lui tends une assiette. Derrière les traits un peu bouffis et le maquillage outrancier, je reconnais mon amour cellophane. Nelly ! Mon cœur se tient aux aguets, prêt à bondir. Je me présente, « le poète », tu te souviens de moi ? Elle me tend une main chargée de bagues bon marché, hoche la tête négative- ment. Attends, machouille-t-elle, l'haleine mentholée, tu traînais pas avec un type, du genre efféminé ? Oui, il s'appelait Antoine. Alors ça ! J'ai toujours cru que t'étais gay ! La révélation de mon hétérosexualité déclenche chez elle une logorrhée inattendue, dont je parviens à isoler trois informations principales : Nelly a déjà divorcé deux fois (pour elle, le mariage, c'est terminé, sauf si elle rencontre l'homme de sa vie), son fils Kevin, seize ans, aime le foot et le motocross, et elle m'invite à prendre l'apéro demain soir, pour se rappeler nos souvenirs communs : Kevin ne sera pas là. Je suis tenté (un instant) d'offrir à l'ado que j'étais une revanche posthume. Ses chairs se sont dépréciées. Nelly a soldé son orgueil. Je lui sers de la salade, une cuisse de poulet grillée, et lui souhaite une bonne soirée.

Mon père m'adresse un clin d'œil. Je suis en passe de réussir mon pari : figer les protagonistes de son existence lors d'une photo souvenir qu'il s'en ira revisiter, à l'âge où l'on dédie au passé le peu de présent qu'il nous reste. La plupart des personnes réunies ce soir se rendront à son enterrement. Au mien, il faudra embaucher des figurants. Une absence suffit pourtant à mettre en péril l'équilibre de l'ensemble. Coup d'œil nerveux à ma montre : il est encore tôt, patience.

Sarah, T-shirt rentré à l'intérieur d'un pantalon délavé et petite veste en jean, s'avance au bras de Rodolphe, polo, muscles saillants, poigne de fer. Il me remercie pour l'invitation, veut savoir comment je me porte. Sarah l'envoie chercher une bière, bien-fraîche-s'il-te-plaît-mon-amour.

— La petite blonde, c'est ta copine ? Tu me présentes ?

Mon regard isole Laura au sein de l'assemblée nocturne. Ses boucles d'oreilles argentées dansent dans le soir.

Elle subit les assauts d'un type basané, en qui je reconnais l'ambulancier qui déclarait son amour des coiffeuses, au-dessus du corps d'Antoine. Je lui avoue que je ne m'attendais pas à accueillir toute la ville.

— Ton père fait l'unanimité. Regarde autour de toi. Tout le monde connaît Marius. Tout le monde l'aime.

J'en conviens. Les invités, sitôt mon père aperçu, se précipitent pour lui gratter le dos ou lui malaxer l'épaule, rituel ancestral et indiscutable indicateur de notoriété. Sarah baisse la tête, puis la voix.

— Une question me démange, depuis le premier jour... Entre Antoine et toi, que s'est-il *vraiment* passé? Je veux dire: à aucun moment tu n'as paru attristé par sa mort, alors qu'il m'avait raconté cent anecdotes sur votre amitié.

— Je ne suis pas très démonstratif.

Ma réponse la déçoit.

— Non mais sans rire, ton pote d'enfance meurt, et tu oublies son urne le soir même, chez quelqu'un que tu connais à peine! Soit tu es un type au cœur sec, soit tu lui en veux pour quelque chose, et il y a des détails que j'ignore. Franchement, il faut que tu m'aides à choisir.

Qu'ont-ils tous à vouloir me connaître à tout prix? Je les laisse bien tranquilles, moi. Dois-je organiser une visite guidée de mon âme pour qu'on me fiche la paix? Quand je me penche à l'oreille de Sarah, mon ton est calme, en dépit du battement sourd qui cogne mes tempes.

— Écoute-moi bien Sarah, parce que je ne parle jamais

de ça. Tu m'as dit que tu savais ce qui était arrivé à mon petit frère, Benjamin…

Elle me le confirme d'un imperceptible hochement de tête.

— Tu n'ignores pas non plus qu'Antoine nous accompagnait.

— En effet.

— Alors, tu as ta réponse.

Elle m'observe avec intensité, comme si la résolution de l'énigme venait de s'inscrire quelque part sur mon visage.

— Qu'est-ce que tu veux dire ?

— Tu veux l'entendre de ma bouche ? Antoine était au volant, cette nuit-là.

Soudain, me submerge la nature grouillante, fébrile, pourrissante, la soudaine et parfaite prescience de tout ce qui m'entoure, les sons, les souffles, les odeurs de buissons humides et d'excréments frais. Je prends une inspiration si profonde que des larmes me montent aux yeux.

— Je pensais lui avoir pardonné. Je m'étais trompé.

Elle me fixe, interdite.

— Comment ? Je croyais que…

— Passe une bonne soirée, Sarah.

La nuit empeste la graisse brûlée. Une quinqua permanentée, paupières fuchsia et lèvres malabar, m'entraîne pour un pas de danse, elle hennit plus qu'elle ne rit, je l'abandonne à d'autres bras. Laura a fini par se débarrasser de l'ambulancier pour tomber entre les griffes de Sabot, dont le ventre élevé au houblon dépasse de son T-shirt

Carlsberg. L'attrait des filles de la ville est demeuré intact à la campagne, on les renifle en salivant, comme la bagnole hors de prix ou la grive qu'on braconne entre amis. Laura sourit, le visage voilé de lassitude nocturne. Je dépose ma veste sur ses épaules, Sabot s'efface. Laura ouvre des yeux interrogateurs : « Qu'est-ce qui s'est passé ? Tu es d'une pâleur effrayante… » Je croque deux Myolastan, une poignée d'olives. Bientôt vingt-deux heures. Elle ne viendra pas.

Le brouhaha de la foule ne parvient pas à me distraire. Autour, les gens s'amusent, échangent des syllabes, parfois des mots. Seulement, ils ne les poussent pas assez loin, ni assez fort, leurs paroles peinent à s'élever, le sens n'a pas eu le temps de naître. Je pourrais me dire qu'ils sont ivres, mais à la place, un frisson glacé inonde mon dos : je suis, moi aussi, en passe de perdre le sens. Au prix d'un effort intense, je me souviens de l'endroit où je me trouve. Un sentiment d'absence et de profonde tristesse m'envahit. Je bafouille quelque chose à Odilon, et je m'évanouis au fond d'une chaise, attiré par le gouffre. Une main écarte la fumée, elle appartient à un gamin, chemise boutonnée sous le menton. « Bonjour, je m'appelle Antoine. Mais tu peux m'appeler Toni, j'ai l'habitude. » J'accepte sa main. Toni se tient devant moi, la fumée du barbecue le contraint à cligner des paupières. À cet instant précis, je comprends qu'il est mort. Je ne le reverrai plus. Je n'entendrai plus sa voix haut perchée réciter le premier quatrain du *Bateau ivre* ou s'époumoner sur *Capitaine abandonné*.

Je l'avais guettée et redoutée, cette peine, qui mettrait un point final à mon errance, et justifierait mon retour à Verfeil. J'avais enfoui Antoine si loin, qu'il s'était d'abord contenté de mourir, une seconde fois. Je découvre que je l'ai perdu *pour de bon*. Le souvenir du cadavre épuisé laisse déjà place aux pitreries du gamin qui me soufflait les réponses en mathématiques, et s'était fait punir à ma place quand j'avais glissé une souris morte (rare trophée de Sans-Nom) dans le tiroir de la vieille Mirouze, émue au point de s'en évanouir. En éloignant Antoine, c'était le souvenir de Benjamin que j'éloignais. Antoine revenu, Benjamin ne tarderait plus.

— Simon, les merguez!

De petites queues noircis se contorsionnent sous mes yeux. Mon père s'effondre sur une chaise en plastique, à côté de moi. Il dégage une telle odeur d'alcool, que je lui déconseille d'allumer la cigarette qui pend à ses lèvres.

— Tu as trop bu.

Mon père hoche la tête avec vigueur. J'ignore à qui il apporte son approbation satisfaite, ni s'il le sait lui-même – au monde entier, sans doute. Peut-être qu'il approuve la notion de «dialogue» en général, lui qui n'a adressé la parole qu'à sa solitude (ainsi qu'à une poignée de ruminants) au cours des vingt dernières années. Il me balance un sourire en coin, mi-canaille, mi-coupable.

— Je fête ton retour, garçon. Ça arrive tous les quarts de siècle. Tu es un peu notre comète de Halley. Alors n'essaie pas de gâcher ma gueule de bois, sans quoi…

Laura attrape mon bras, m'entraîne, me soulève, viens. Ton bureau ferait une chambre parfaite, on le repeindrait en bleu, même si c'est une fille, un bleu tendre et lumineux, qu'en penses-tu ? Son haleine est douce, anisée. Laura, venue donner congé à notre couple, égrène un chapelet de précautions, une liste de courses et de rendez-vous médicaux. Elle balise notre route pour les neuf mois à venir. Elle a même quelques idées de prénoms.

— Tu sembles ailleurs, Simon.

— Regarde, dis-je, derrière toi.

Deux faisceaux de phares s'avancent avec prudence dans l'allée qui cailloute. Le conducteur contourne le véhicule pour ouvrir la portière, côté passager. Un petit mocassin se pose sur la pelouse. Mon père se tient debout, raide comme un officier de marine. Marianne ? C'est impossible ! Il se précipite, écarte le docteur. Laissez-moi passer, c'est ma femme ! J'ignore ce que leurs regards se chuchotent. Ma mère accepte son avant-bras. Sirdey me rejoint : «Désolé pour le retard. Elle a passé deux heures à se préparer.» Ma mère est vêtue d'un chemisier blanc, d'un gilet ample et d'une jupe bleu marine. Personne ne la remarque. L'accordéon, derrière nous, bredouille quelques notes. La petite terrasse de Gregor s'est transformée en piste de danse. Deux ados ricanent, en regardant leurs parents s'enlacer. Cramponnée à l'avant-bras de son mari, Marianne jauge la foule avec inquiétude, salue timidement une vieille dame qu'elle croit reconnaître. Mon père échappe à une main, un appel, agrippé par les uns, félicité pour cette soirée qui restera dans les annales, il n'a d'yeux que pour Marianne. Il trouve une chaise, sur laquelle il dispose un petit coussin, je ne la quitte pas du regard, j'ai dix ans, je l'attends à la sortie de mon école, il pleut, et tandis que les autres mères abritent leurs enfants sous de grands parapluies, elle s'élance vers moi en riant plus fort que l'orage, trempée de la tête aux pieds, nous faisons la course jusqu'à la voiture. Ma joue est humide, c'est forcément la pluie.

— Un caractère, votre mère.

Sirdey m'arrache à ma rêverie. J'accepte la bouteille de bière qu'il me tend. Les goulots trinquent.

— Merci Arthur. Je n'oublierai pas ce que vous avez fait.

— Vraiment? Alors qu'est-ce que vous attendez pour aller l'embrasser?

Puis il s'éloigne en roulant des épaules : « Suis obligé de vous laisser, je dois délivrer une jolie blonde : son chaperon ressemble à un croque-mort. » Je ne le reverrai plus. Ma mère sourit aux visages qu'elle croise. Mon père veille à ses côtés, remplit son verre d'eau pétillante. Il n'y a pas de place pour moi. Laura, assise un peu plus loin, écrase précipitamment une cigarette, en me voyant arriver. Quel âge a ta mère? Elle a l'air si jeune, dit-elle. Elle aimerait que je la lui présente. Tu ne devrais pas fumer, Laura. Je n'ai pas l'occasion de poursuivre ma phrase : une vieille dame s'est emparée de ma main. La silhouette s'est ratatinée, mais c'est bien elle : Isabel Lorca, assise dans un fauteuil roulant, un châle couvrant ses genoux. Des larmes roulent sur ses joues. Elle n'a plus toute sa tête, me prévient quelqu'un à haute voix, Alzheimer. « César t'aime beaucoup, tu devrais passer le voir, cela lui ferait plaisir.» Je le lui promets. La voilà toute guillerette : «Tu aimes la rhubarbe? Je ferai une tarte à la rhubarbe, je te demande ça parce que beaucoup de gens n'aiment pas la rhubarbe, mais César en raffole…» Son esprit avait trouvé une parade à la douleur : il éteignait une à une les lumières à l'intérieur de sa mémoire. Bientôt, il ferait nuit. «Comment vont tes parents? Et ton frère, toujours la tête dans les nuages?» Je lui réponds que tout le monde se porte au mieux. Alors, elle embrasse mes mains. «Je n'oublierai jamais ce que ta mère a fait pour moi quand…», elle s'interrompt, subjuguée, semble-t-il, par une vision. Je me retourne. Ma mère s'est installée sous le figuier, et nous observe. Elle m'aperçoit et détourne la tête. La fête bat sous mes yeux, à des milliers de kilomètres. Mon père approche, entoure sa femme de ses bras immenses; j'ai l'impression qu'il l'enlève, comme il l'avait subtilisée, une nuit, à son foyer de jeunes filles, pour l'amener voir la mer, à Narbonne. Ma mère se recroqueville, elle accepte enfin d'être protégée.

— On m'avait bien dit vous étiez rentré!

L'individu qui m'entreprend de la sorte est un homme âgé, frictionné à l'eau de Cologne, la barbichette cornue, mangée par une lavallière à pois.

— Richard Bastide, pharmacien, ou plutôt

ex-pharmacien, aujourd'hui (il se rengorge) champion de bridge. C'est moi qui ai appelé les secours.

— Je ne sais pas qui vous êtes.

Le notable ventripote un instant, se ressaisit.

— Enfin, vous êtes bien le fils Reijik ? C'est moi qui vous ai trouvé, sur le bord de la départementale. Le soir où... enfin, cette nuit-là.

— Vous faites erreur.

— Je ne comprends pas...

C'est pourtant simple, si vous ne quittez pas mon champ de vision, je vous ferai avaler cette lavallière, aussi grotesque que votre air satisfait. Je m'apprête à lui faire part de mes pensées amicales quand un grondement ébranle la nuit. Un vent chaud s'engouffre entre les tables, souffle les assiettes en carton, renverse les bouteilles. La nuit vire écarlate. Un arbre d'éclairs crépite. Les entrailles du ciel s'ouvrent au-dessus de nos têtes. J'ai tout juste le temps d'attraper Laura par le bras, et de l'entraîner sous le porche. Ma mère s'y est réfugiée. Quelqu'un lui tend une main. D'un geste sec, elle refuse sa sollicitude. Elle n'a besoin de personne. Elle est ici chez elle.

Les invités battent en retraite, certains vers leurs voitures, d'autres vers le garage, les derniers, enfin, désorientés par l'alcool, ou cédant à une irrépressible envie de liberté, s'enfoncent dans la nuit, à travers champs. Le jardin ressemble à un marécage. Odilon patauge, accroché à son barbecue comme le noyé à son tronc d'arbre. De grosses gouttes plates mitraillent le sol. Les gouttières crachent des trombes d'eau, en tremblant de joie. Quelques secondes ont suffi. Le déluge a balayé la scène de ses figurants. Ne demeurent plus que les personnages principaux. Mon père n'a pas quitté la pelouse. Nuque en arrière, les bras levés au ciel. Un arc électrique fendille l'obscurité. Un second. La foudre s'abat à quelques mètres. Je cours vers lui. « Tu as vu ? hurle-t-il à mes oreilles, on dirait des lapins ! Qu'on m'apporte mon fusil ! » Je le ramène difficilement à l'abri, sous le porche. L'eau dégouline à l'intérieur de ma chemise, jusque dans mon caleçon. « Ma parole, tu ne ressembles à rien, mon pauvre garçon ! » Mon père est hilare. J'avais oublié la couleur de son rire.

De petites tornades achèvent de nettoyer le terrain. Je pars à la recherche de vêtements secs. Trois claquements dehors. Ce n'est pas l'orage. « Rentre Mamar ! Fais pas le con ! » Certains vocifèrent, d'autres applaudissent. Mon regard se porte alors vers l'objet de leur excitation : mon père, torse nu, au milieu du jardin, fusil de chasse en main. « Alors comme ça, on m'avait abandonné ? » gueule-t-il, poing levé. Il braque le canon sur le ciel rageur, et tire à deux reprises. Le bruit des balles est avalé par le roulement du ciel. « Regardez autour de moi ! Est-ce que j'ai l'air d'être seul ? » Mon père lance une salve supplémentaire. Je m'apprête à aller le chercher, Odilon me retient, laisse. L'orage tonne dans le lointain, s'éloigne. Ma mère détestait que mon père se donne en spectacle. Du dos de la main, elle essuie la goutte qui perle à son front. La nuit sent la poudre. Mon père met en joue les étoiles.

Chapitre 24

J'ouvre les yeux : le matin a pris de l'avance. Les insectes se cognent aux volets. La journée sera brûlante. Je n'avais pas dormi ainsi depuis des siècles. La tête de Laura repose sur l'oreiller, lèvres semi-ouvertes, et rouges, si rouges qu'on les croirait maquillées.

Je m'échappe du lit, récupère l'urne, placée en sécurité au fond de l'armoire de Grand-père. L'orage a débarbouillé le ciel. Les arbres bruissent d'invisibles volatiles. Les lavandes bourdonnent déjà. Dehors, toute trace de la soirée a disparu. Les bouteilles vides s'alignent sur le plan de travail de la cuisine, les verres cassés ont été disposés dans un bac en plastique, la vaisselle sale, dans l'évier. Ma mère, en blouse, de dos, gratte la crasse des placards. Une nappe plastifiée aux carreaux Vichy a été disposée sur la table en Formica. Elle ne m'a pas entendu. J'hésite à la rejoindre. Mais que lui dire ? Et par où commencer ?

Dans le salon, la télévision ronronne. Sa clarté cubique révèle une carcasse, amarrée au canapé. Je m'assieds sur

208

l'accoudoir. Mon père fronce les sourcils dans son sommeil. «Si les insectes avaient conscience de leur puissance, ils domineraient le monde», déclame une voix hitchcockienne. Les reporters de la BBC ont filmé douze ans durant l'organisation sociale et les luttes de pouvoir d'une colonie de fourmis argentines. Une armée de caméras miniatures ont été postées à l'intérieur des galeries, jusque dans l'antre de la reine, héroïne du documentaire. Obèse et dans l'incapacité de se mouvoir, elle finit déchiquetée par ses congénères. Les images sont d'une férocité inouïe.

— Tu as passé la nuit sur le canapé?

Mon père écarquille les yeux, s'étire, défroisse son visage – «pas si fort…». Et d'un geste du menton, désigne l'étage. Elle est restée dormir, tente-t-il de chuchoter, mais sa voix rauque secoue la pièce. Elle est dans la cuisine. Va la voir. Comment? s'écrie-t-il, dans cet état? Il prend appui sur ma cuisse pour se relever, grimace: «C'est grâce à toi qu'elle est là, tu sais.» Je hoche la tête. Mais c'est pour toi qu'elle est venue, papa.

Onze heures. Une dizaine de véhicules patientent devant la maisonnette. Le temps est venu de solder la mémoire d'Antoine. C'est ici, le vide-grenier? demande un type édenté, j'ai vu l'affiche au bureau de tabac. Une fois encore, Yannick Sabot s'est montré à la hauteur de sa mission. Hier soir, le bouche à oreille s'est occupé du reste. Certains visiteurs se sentent obligés de préciser, «je suis un ami», «le voisin», «la femme de ménage» ou «le facteur». Le facteur repart avec un fauteuil en osier, la femme de ménage emporte trois casseroles, le voisin se décide pour une armoire, qu'il monte sur un diable. Ça jauge, ça furète, on ouvre des placards, on accroche des tendeurs, les remorques sont chargées. Certains me félicitent pour la soirée, mais bordel, quel orage. Une brunette repart avec un mug, « il avait oublié de me le rendre », et un bouquet de pinceaux usagés. Antoine Moreira s'éparpille à vingt kilomètres à la ronde. Sarah avait eu la juste intuition d'emporter les objets de valeur – tableaux, croquis, carnets. Une femme sans âge aux cheveux courts, profil de musaraigne, s'enfuit avec la perche à cathéter, en me lançant : « Ma mère est malade ! » En début d'après-midi, la maison d'Antoine est vide. Les villageois n'ont laissé que la cheminée. Je pose l'urne sur le seuil, afin qu'il puisse dire adieu à ses murs. Je ne sais même pas s'il s'y sentait bien, ou s'il l'aimait, cette bicoque. J'ignore combien de temps il y a vécu.

— C'est le moment, vieux.

À mon retour, Laura a remplacé mon père dans le canapé. Sur l'écran, un buffle traîne deux lionnes, crocs et griffes plantés dans sa chair. Le sang dessine des fleuves noirs sur le cuir poussiéreux.

— Je vais au cimetière. Je n'en aurai pas pour longtemps.

Elle se redresse : « Je t'accompagne. »

Depuis la fenêtre du salon, j'aperçois ma mère, derrière la maison, penchée au-dessus de l'endroit où se tenait l'ancien potager. Mon père, accroupi, arrache les mauvaises

210

herbes. Marius désigne des tracés imaginaires, Marianne l'écoute, attentive. Pas de temps à perdre. Ils délimitent déjà les contours de leur union future.

Un cimetière au soleil, avec vue sur les Pyrénées, ce n'est pas très sérieux. Un employé débroussaille les fossés. Les moro-sphinx tentent de butiner les fleurs disposées dans les vases. Je me tiens debout, devant le caveau de famille. Papi, mamie. Benjamin. Je lui présente Laura. Elle s'agenouille et dépose un bouquet de jonquilles sous la petite photo oblongue. Le pli, sous son menton, est agité de tremblements. «Je suis désolée, souffle-t-elle, c'est ridicule.» Je la console. Benjamin ne me quitte pas du regard. Tu vas être tonton, petit frère. Laura interrompt mes pensées – Simon, retourne-toi. Mes parents s'avancent, bras dessus bras dessous. Ma mère poursuit seule les quelques mètres qui nous séparent, mon cœur s'emballe, elle se place à mes côtés, face à la tombe, tête baissée. Laura s'est écartée. Après de longues secondes, au cours desquelles je cherche, en vain, une parole qui paraîtrait naturelle, c'est elle qui murmure.

— Tu sais ce qui m'attriste le plus? De ne pas savoir quel homme mon fils serait devenu.

Serrer la mâchoire ne suffit pas à réprimer le chagrin qui m'envahit. J'aimerais prétendre que ce qui compte, c'est ici et maintenant, je ne suis pas sûr d'y croire. Benjamin sourit depuis son cadre, j'ai l'impression qu'il se moque gentiment de mon désarroi. Maman, commencé-je, mais elle ne m'entend pas, ou je ne parle pas suffisamment fort, je suis si près d'elle que je pourrais l'étreindre, lui avouer combien je n'ai jamais cessé de l'aimer, ni de veiller sur elle, chaque jour, ou presque, depuis mon départ. Au lieu de cela, je marque un pas en arrière, pour lui laisser un moment d'intimité avec Ben. Attends.

— Marche avec moi.

Nous avançons jusqu'à un banc de pierre, en léger retrait des tombes, à l'ombre menue d'un cyprès. Ma mère prend place. Elle paraît épuisée. L'autre jour, commence-t-elle d'une voix lente, je ne m'attendais pas à te voir... Approche-toi, n'aie pas peur. Je m'assieds à ses côtés, n'osant quitter du regard ses petites chaussures, dont les talons raclent la poussière.

— On souhaite toujours le meilleur à ses enfants, poursuit-elle. Qu'ils grandissent heureux, et s'épanouissent, qu'ils effleurent leurs rêves, même du bout des doigts. Qu'ils nous aiment, et nous rendent fiers. On nourrit des projets, sans imaginer que tout peut s'arrêter, là, dans l'instant... J'ai réfléchi au cours de ces années. Je me suis demandé si cela valait la peine de vivre. Je m'y suis résolue, par habitude. Seul, Marius n'aurait pas survécu. (Elle baisse les yeux.) Je t'ai maudit, toi, mon fils. De longs mois. Je t'en ai tellement voulu, je t'ai peut-être même haï. Un jour, je serai punie pour ça. Il me fallait une raison. Benjamin n'avait pas pu partir aussi bêtement. Sa mort devait forcément participer à un dessein plus vaste, que j'ignorais. Mourir à huit ans... (Elle s'interrompt.) C'était impensable, inacceptable. Pas lui, qui était si doux et prévenant… Tu te souviens, sourit-elle tristement, il n'osait pas marcher sur la mousse, en forêt, de peur de la blesser… (Je me souvenais surtout que je prenais un malin plaisir à l'arracher sous ses yeux.) J'avais perdu mon père, maintenant mon fils. Des nuits entières, j'ai hurlé, et demandé des comptes. Qu'avais-je fait pour mériter ce cauchemar? Personne n'a répondu, à part les infirmiers qui augmentaient mes doses de calmants. Depuis le début, tout était de ma faute. Je n'avais pas réussi à le protéger. Alors, j'ai trouvé un trou et je n'en suis plus sortie… Au Château, personne ne sait ce qu'il s'est passé. On oublie vite, là-bas. Esther est l'amie idéale: chaque matin, elle m'assaille de questions, persuadée que je suis arrivée la veille. Et chaque jour, j'invente une nouvelle histoire. Une histoire heureuse, avec Marius… et Benjamin. D'autres vies plus belles que la mienne. Ton père a été là, tout ce temps. Antoine envoyait de petits mots, des dessins parfois. (Elle a saisi mon poignet, ses ongles s'enfoncent, je la laisse faire, j'accepte la douleur.) Regarde-moi. Je suis une vieille dame. J'ai consacré vingt ans de ma vie à un fantôme. J'ai attendu un signe. Combien d'années me reste-t-il à vivre? Combien d'années pour réparer…

Sa poitrine se soulève et s'abaisse, lentement. Les larmes ne viennent pas, pourtant elle pleure. Elle observe, sans les commenter, les empreintes que ses ongles ont laissées dans ma chair. Elle prend ma main. La sienne est petite et chaude, ma mère me touche, sa peau contre la mienne, elle refuse de me lâcher, on n'abandonne pas son fils.

Chapitre 25

Une piste gravillonneuse, une ruine. En contrebas, le ruisseau. Tout est là. Je replie le dessin griffonné que les doigts d'Antoine avaient laissé échapper le premier soir, et m'engage sur le sentier jusqu'au moulin délabré. L'urne calée contre mon torse, je dévale la pente qui mène au cours d'eau. Une bécasse s'envole. Je reconnais les rives emmitouflées, les genoux des arbres accroupis en eaux troubles. Le jardin de nos souvenirs. L'été, le Girou gonflait et se prenait pour une rivière. Nous y passions des heures à barboter dans l'eau fraîche, veillant à ne pas remuer la vase, pleine de cochonneries gluantes, et de têtards à deux pattes qui attendaient qu'on remballe nos orteils pour achever le cycle de la nature. Il y avait même de petites feuilles de nénuphar, retroussées aux extrémités, sur lesquelles paradaient les grenouilles. C'était notre bayou à nous. Un jour, nous sommes tombés nez à nez avec le museau d'un ragondin – costaud cette bête, mais paisible et bigleuse. Dans la région, on en fait des pâtés, bien poivrés, avec de l'ail. Brigitte Bardot s'était insurgée contre leur tuerie dans *La Dépêche du Midi*. Le ragondin avait pris la fuite en ridant l'eau d'un V victorieux.

Au pied du talus, alangui sur la rive, somnole un homme, guettant mollement la lumière, ou l'inspiration. Il a disposé un canotier sur son visage pour se protéger du soleil, et fume la pipe, au pied de son chevalet. Une canne repose contre le tronc d'un arbuste. Quelques coquelicots, saupoudrés là avec désinvolture, achèvent de composer la plus exquise des mises en scène. À mon approche, il soulève son chapeau, ouvre un demi-œil. Je reconnais mon compagnon de voyage, l'individu du Paris-Toulouse. Il se redresse, saisit sa canne en bois et éclate de rire, amusé de la coïncidence. J'évite son regard bleu.

— Eh bien, constate-t-il d'une voix pleine d'entrain, on dirait que la boucle est bouclée ! Comment se sont passées les retrouvailles ?

J'hésite à répondre ; je me sens pourtant à l'aise en sa compagnie.

— Votre pudeur est tout à votre honneur.

Il plisse les paupières.

— Excusez mon indiscrétion, mais que contient donc ce vase que vous écrasez contre votre poitrine ?

— Les cendres d'un ami. Cet endroit lui était cher.

Je promène un regard autour de moi, le sol moucheté de clarté, la nature grouillante, le soleil oblique, un peu pâle.

— Il peignait lui aussi.

Ma dernière phrase le plonge dans une agitation soudaine.

— Permettez que je me joigne à vous, un instant?

Il a saisi un carnet de croquis Clairefontaine et un crayon à mine de plomb (les armes de Benjamin quand il partait «dessiner léger»).

— Rassurez-vous Simon, je saurai m'effacer au moment opportun.

Avant même que je ne tressaille, il ajoute: «Votre nom était inscrit sur votre valise.» Au fond, je n'y vois aucun inconvénient. Gageons qu'Antoine se serait réjoui de la présence d'un confrère, au moment de notre séparation. Le jeune homme n'attend pas ma réponse pour m'emboîter le pas.

— Surtout ne vous dérangez pas pour moi! Faites comme si je n'existais pas.

Nous parvenons au torrent. Le peintre amateur s'est installé du mieux possible, son bloc de dessin sur les genoux. C'est ma première fois. Je n'ai jamais dispersé personne. Dans les films, un coup de vent soudain finit par vous jeter au visage l'ami disparu, effet tragi-comique garanti. Prudence, donc. L'herbe est humide. Une sauterelle vert fluo déguerpit. Je demeure un instant, accroupi, à regarder l'eau filer. Pardonne mon silence, Antoine, je n'ai jamais été bon pour les grands discours. Je te confie au ruisseau, on verra bien. Ce n'est pas tous les jours qu'une âme prend le torrent. Je retire le couvercle de l'urne, la renverse. Une nuée de cendre argente l'herbe. Mon ami tourbillonne un instant, disparaît. Je m'apprête à jeter la mèche de cheveux, me ravise. Je brûle son croquis, les poussières, légères, volètent autour de moi. Bon voyage, mon frère contradictoire.

Une présence, sur ma droite. Je manque de sursauter. La silhouette, menue, se tient à contre-jour, les traits ombragés de feuillages. Il s'agit d'un enfant, dix ans, peut-être onze. Comment t'appelles-tu? Où sont tes parents? Un rayon se pose sur ses souliers vernis. Nous demeurons immobiles, tout proches, les secondes s'étirent. Sa présence me rassure et m'intimide. Je ne parviens pas à retenir mes larmes. Je pleure tout mon saoul, mes regrets, je pleure ces années sacrifiées. Ma poitrine se libère; c'était comme si on m'autorisait à respirer de nouveau. Simon Reijik n'est jamais parti. Il errait en fantôme le long de ces berges, retenu en nostalgie, ce pays perdu où Benjamin vivait encore. L'enfant a avancé d'un pas. D'un doigt pâle, il désigne quelque chose à terre: la lettre que m'a confiée ma mère, dans le cimetière. Elle a dû glisser de ma poche. Quand je lève les yeux, l'enfant a disparu. Une intuition me précipite au sommet du talus: personne. Plus de peintre, ni de chevalet. Les miracles n'existent pas, ça se saurait.

Mon père arrose passionnément un pastis gascon. Je me sers un verre d'armagnac, avant qu'il ne vide la bouteille. Lui sirote une limonade. Nous sortons. Le soleil ocre la colline. L'air est frais, chargé d'odeurs d'herbe coupée et de désherbant industriel. Les lendemains d'orage, la terre respire à voix basse.

— Tout s'est bien passé ?

Je hoche la tête, encore étourdi.

— Ta mère est allée faire ses valises. Elle revient s'installer à la maison. Je lui ai promis qu'on inviterait Esther, de temps à autre.

— C'est bien.

Un instant de silence.

— Tu sais papa, nous partons demain.

— Écoute…

Il ne termine pas sa phrase. Je l'interroge du regard.

— Écoute, je te dis. *Autour de toi.*

— Je n'entends rien.

— Alors, écoute mieux.

Cris d'oiseaux. Aboiements. Un crapaud. Bruissements indistincts. Bande originale de la campagne qui s'assoupit.

— Les cigales.

— Quelles cigales ?

— Nous n'avons jamais eu de cigales, à Verfeil.

C'est vrai, ma foi, un crissement d'élytres. Mon père finit par lâcher, avec gravité :

— Réchauffement climatique.

Chapitre 26

Un chaudron léché par la langue noire du Vésuve. Naples, fin août. Notre première échappée, en couple, depuis deux ans. Naples la baroque, cracheuse de soufre, cité polichinelle, insaisissable, splendide et brouillonne. Naples parenthèse, où Laura et moi rejouons les prémices de nos amours, enfin anonymes. L'été est épais, les températures insoutenables. Même le vent paraît à bout de souffle. Nous ne sortons qu'aux dernières lueurs du jour, à l'heure où la ville s'éveille. Le parfum sucré des *sfogliatelle* s'est estompé au profit d'une odeur d'essence, d'ordures, et de fours à bois. Les scooters vrombissent sur la pierre lavique, les *bassi* impudiques ouvrent de nouveau leurs portes sur la rue, en quête d'une improbable fraîcheur, des paniers descendent, vides, au-dessus de nos têtes, d'autres s'élèvent, miraculeusement alourdis de fruits, de légumes, parfois de Nutella. Nous nous enlaçons dans les *vicoli* obscurs, interrompus par les enfants, ces demi-dieux curieux et rieurs, qui courent, trébuchent, et s'évanouissent en un claquement de sandales. Laura m'interroge sur ma famille, ne brusque pas mes silences, tolère mes hésitations. Elle ne parle jamais de Benjamin. Nos corps déjà moites s'enivrent de caresses. Laura rit beaucoup. Nous sommes un couple insouciant. La laideur du monde ne nous concerne pas.

Laura s'éloigne dès que nous posons le pied sur le tarmac, à Roissy. Une brume mauvaise attendait notre retour. Elle me rassure, je suis fatiguée, c'est tout. Au cours des jours qui suivent, elle paraît distraite, presque méfiante. Je me retiens de l'interroger. Après tout, chacun supporte son bagage, certains jours, plus lourd que d'autres. Un texto de mon père : « Ta mère va donner un concert au château. » Je lui recommande d'ajouter la maman de Caillou à la liste des invités. On joue à la famille. On réapprend à se connaître. Je propose à Laura de passer quelques jours à Noël dans le Sud, elle répond du bout des lèvres. Voilà une semaine que nous sommes rentrés, et tu n'as pas prononcé plus de dix phrases. Qu'est-ce qui ne va pas, Laura ?

À ces mots, elle s'effondre dans l'entrée de notre appartement. Je m'accroupis, à côté d'elle. Je t'écoute, murmuré-je. Elle lève vers moi des yeux rougis.

— Je ne sais pas par où commencer…

Sa respiration s'apaise.

— Simon, bredouille-t-elle, la gorge nouée, pourquoi m'as-tu caché que c'est toi qui conduisais ?

Je ne comprends pas sa question. Elle se lève, fouille

dans son sac à main, me tend une enveloppe, dont elle extrait une coupure de journal. Un filet est entouré au stylo rouge.

— Un type, au barbecue, m'a raconté qu'une nuit, en rentrant de Toulouse, il avait trouvé une voiture encastrée dans un platane, avec trois personnes à son bord, deux jeunes, et un enfant… C'est lui qui a appelé les pompiers. Il était catégorique : « Le fils Reijik se trouvait derrière le volant. »

Ne fais pas ça, Laura, je t'en prie. Laisse Benjamin tranquille.

— J'ai essayé d'oublier, à Naples, je te le promets. Après tout, cette histoire ne concerne que toi. Tu m'en parlerais le jour venu… Je n'y arrive pas, Simon. Quelque chose, au fond de moi, ne supporte pas de ne pas savoir.

— Je ne t'ai pas menti, Laura.

Elle ne répond pas mais brandit sous mes yeux la photocopie, à peine lisible, du papier de *La Dépêche du Midi*. Cinq lignes consacrées à Benjamin, rédigées par un pigiste municipal.

— L'article établit *précisément* l'identité du conducteur.

En effet, il y est écrit « Simon Reijik », sans faute d'orthographe.

— Je te l'ai déjà dit, Antoine était au volant. Les types ont dû inverser nos noms. Rien d'étonnant : tu as déjà vu la tronche des correspondants locaux ?

Laura me considère, ses yeux parcourent l'article, je vois bien qu'elle ne lit pas.

— Je peux t'aider, Simon.

— Écoute, ça devient ridicule, dis-je en me redressant.

— Hier matin, j'ai appelé la gendarmerie, avoue-t-elle d'une voix douloureuse.

Je recule d'un pas.

— Pourquoi ferais-tu une chose pareille?

— Parce que je n'accorde pas plus de confiance à une brève locale qu'à un inconnu. Et parce que je t'aime.

Le gros mot est lâché, l'argument imparable. Je ne distingue nulle trace d'amour là-dedans, seulement un transfert de ses angoisses. Laura a vécu dix années de relation mensongère. Depuis, la femme trompée crie vengeance, exige la transparence, et croyant laver ainsi sa propre humiliation, fouille les plaies des autres. Peu importe si ça saigne, si elle se trompe, ou si notre couple s'abîme. Seule compte la recherche de la vérité, cette maudite obsession contemporaine.

— Le rapport de gendarmerie confirme l'info du papier, poursuit-elle. Ils racontent que le conducteur avait de l'alcool dans le sang.

Ma main droite commence à trembler. Je ferme le poing.

— Tu as vu le rapport de gendarmerie?

Je suis presque aphone.

— Je suis désolée, souffle-t-elle. J'ai juste demandé à Ludo, tu sais, le gendarme auprès de qui j'ai déposé ma première plainte…

— Je sais qui est Ludo.

J'enfile ma veste, bien décidé à sortir acheter des cigarettes, ou des réglisses, n'importe quoi susceptible de m'exfiltrer de ce cauchemar.

— Tu as pris cette affaire drôlement au sérieux, articulé-je, en essayant de sourire. Un vrai petit Columbo.

J'ai posé une main sur la poignée.

— Mais bon sang, cette « affaire », c'est ta vie, Simon !

— Si c'est ma vie, laisse-moi la mener à ma guise.

Ma voix est blanche.

— Laura, tu me parles de racontars de villageois, de bourdes d'alcooliques. Tu n'as jamais vécu à la campagne, tu ne peux pas comprendre ces choses-là.

Je manque d'air. La porte refuse de s'ouvrir. Benjamin, sur le siège arrière, me casse les oreilles. Je lui demande de chanter moins fort.

— Et puis, je m'en souviens… Je sais très bien ce qui s'est passé, ce soir-là. De toute façon, Antoine était le seul à avoir son permis.

— Il aurait pu te laisser le volant.

— Je n'aurais jamais pris ce risque. Pas avec Ben derrière.

Ben hurle désormais, et je perçois à peine la voix de Laura.

— Le rapport mentionne…

Un pas en avant. Tais-toi ! Je la saisis aux épaules. TAIS-TOI ! Laura décale son visage. La couleur de ses yeux s'est obscurcie.

— Je n'aurais JAMAIS risqué la vie de Ben, et je me

224

fous de ton rapport! Tu m'entends? Comme de tes sous-entendus! Je sais ce que je sais… Antoine a garé la voiture dans une ruelle, près de la place Jeanne d'Arc. Je sais… Je ne sais plus. Mon étreinte se relâche.

— Simon, je ne te juge pas, je ne l'ai jamais fait.

Sa voix s'est attendrie. C'est celle que je prenais, quand elle se réveillait, tremblante, hantée par les fantômes dont elle ne parvenait à effacer le visage.

— Souviens-toi de ce que tu me disais : tant que tu n'auras pas affronté le souvenir de l'autre…

Je me réfugie dans notre chambre. Laura parle trop. Elle prononce des mots impossibles, qui s'infiltrent comme une rouille. Je m'assieds sur le lit, la tête entre les mains, un moustique bourdonne sous mon crâne – *il aurait pu te laisser le volant*. Reprends tes esprits, Simon. Ressaisis-toi. Laura se trompe. Cette fois, je me souviens de cette soirée-là. C'était une bonne soirée. La meilleure, peut-être, qu'on ait passée tous les trois, ensemble. Nous nous étions réconciliés, et le film était bon. Benjamin était surexcité. Il reprenait à tue-tête les répliques de Buzz l'Éclair. Il avait acheté un poster. Nous avons mangé une glace et rejoint la voiture, près de la place Jeanne d'Arc. La pluie nous a surpris à la sortie de Toulouse. L'essuie-glace fonctionnait mal, des travaux m'ont obligé à emprunter une autre route. J'étais fier comme un pape. C'était la première fois que je voyais Ben impressionné: son grand frère conduisait. Antoine n'avait pas été difficile à convaincre, mais après tout, c'était la Clio de ma mère. Une brume

225

filandreuse s'accrochait à la voiture comme du coton... Pourquoi ce goût de ferraille au fond de ma gorge? Les souvenirs résistent, ça va aller, concentre-toi, je vais tout vous expliquer, et d'abord cette clarté brûlante, je suis allongé sur un lit d'hôpital, des spots m'aveuglent, on discute au-dessus de moi, sans se soucier de ma présence, des tuyaux aspirent quelque chose à l'intérieur de mon corps en crachotant, comme chez le dentiste, je ne sens pas mes pieds, ni mes jambes, «j'ai acheté un télescope à mon fils pour la nuit des étoiles filantes... pour le petit, qui prévient les parents?». Lorsque je reprends connaissance, Antoine se trouve à ma droite, inconscient. Un filet de bave dégouline de sa lèvre inférieure. Jeté entre nous, le corps de Benjamin, les yeux ouverts sur moi. En dehors d'un saignement à l'oreille, j'ai l'impression qu'il va bien. Quelque chose l'empêche de respirer normalement «... pas grave...». Il a des grumeaux dans la voix. Je vais t'aider, Ben, surtout ne bouge pas. J'essaie de me dégager. L'impression qu'on m'enfonce un tournevis dans le foie. Le volant immobilise ma cage thoracique. J'ai dans les narines l'odeur de mon propre sang. L'une de mes côtes a foutu le camp. Je vomis. Ben a fermé les yeux. Ne t'endors pas, il ne faut pas dormir... Des phares approchent. Une voiture ralentit à notre niveau, poursuit sa route. Une autre, quelques secondes plus tard, s'arrête. Dans le rétroviseur, mon visage ensanglanté me fixe. Derrière, celui de Laura. Ça va aller, promet-elle. Elle ment mal.

ÉPILOGUE

Un mois avant la naissance de Gregor Benjamin Reijik, Simon et Laura ont emménagé rue de Seine, dans le sixième arrondissement, un atelier d'artiste, au fond d'une impasse pavée. Simon se lève tôt, mais rentre rarement après vingt et une heures. Jamais les hommes n'ont été aussi désireux de se défaire de leur passé. Ils fuient vers après, peu importe l'endroit où ils échouent. Demain est une accueillante presqu'île. Simon efface leurs traces dans la neige numérique.

Laura a choisi de travailler à temps partiel. Elle regarde grandir son fils. Un jour, ils achèteraient une maison à la campagne, dans le Perche peut-être, on dit que la lumière y est belle, ou en Normandie, Gregor pourrait jouer avec Sato, le fils d'Eriko, mais c'est un peu loin de Paris. Marianne donne à nouveau des cours de piano. Sarah est l'une de ses élèves. C'est elle qui a prévenu Simon. Ton père a fait un AVC, il est en observation. Les spécialistes recommandent le plus strict repos. Son cœur le turlupine moins que la pelouse : qui va la couper ?

Arthur Sirdey a quitté la médecine pour une héritière. Simon croque un Xanax de temps en temps, par habitude plus que nécessité. Depuis quelques mois, il « voit quelqu'un », une psychothérapeute plus jeune que lui. Ses peurs ont toujours eu un temps d'avance sur lui. Il est temps que cela cesse. Il progresse à mots menus, funambule au-dessus du tumulte. Il a longuement évoqué sa mère et les années à bêcher le petit jardin de sa souffrance. Lui s'était cru plus courageux, et malin. Il avait désherbé son passé, imaginant que les ramifications monstrueuses de la culpabilité crèveraient aussi. Détourner le regard ne tue pas le monstre. La thérapeute a décroisé les jambes, c'est bien, nous allons nous arrêter là, aujourd'hui.

Simon a recommencé à rêver. Il existe dans ses songes un lieu aquatique et silencieux où reposent ses chers disparus. La nonna, penchée sur son point de croix, Gregor, enveloppé de silence, et tout contre eux, dans son caban bleu, Benjamin, le nez rivé aux étoiles. Depuis peu, quelqu'un les a rejoints. Ils n'ont pas eu à se pousser : Antoine est maigre comme un clou. Simon les visite, il s'y attarde parfois, inquiet cependant de trouver leur compagnie plus douce que celle de ses semblables.

Un soir, en rentrant, Simon s'arrête devant la galerie Siksou, située au bout de la rue de Seine. Dans la vitrine de ce local dépouillé, un tableau bucolique. Sur cette huile modeste, un homme se tient agenouillé, de dos, près d'un ruisseau. La tête baissée, il paraît se recueillir. Un vent discret soulève ses cheveux. Deux visages brouillés se reflètent dans l'eau. Une scène énigmatique que l'artiste a nommée, de façon tout aussi singulière : *Ce que l'homme a cru voir.*

Je ne te demanderai plus de te taire. Je n'entrerai plus dans ta chambre sans frapper. Je ne me moquerai plus de la paille sur ta tête, parce que je suis jaloux de tes cheveux blonds. Je me contenterai de te regarder vivre.

Le matin, je me lève en hâte, je crois t'entendre à la table du petit déjeuner. Tu veux toujours plus de confiture d'abricot. Tu n'aimes pas quand le beurre disparaît à l'intérieur de la tartine chaude. Alors je ferme les yeux, pour prolonger ce mensonge. J'aimerais entendre le son de ta voix. Juste une fois, encore.

Maman est partie se reposer dans un château, parce qu'elle poussait des hurlements de bête sauvage. Les premières fois, j'ai cru qu'elle était possédée. Elle t'appelle toutes les nuits. Tu devrais lui répondre. Peut-être qu'elle souffrirait moins fort.

Je gênais les parents. Ils n'ont pas eu besoin de me le dire. L'idée de la voiture, du cinéma à Toulouse, c'était moi. À aucun moment, ils n'ont songé à me demander ce que je ressentais. Comme si ma souffrance était moins importante que la leur.

L'accès à ta chambre m'est interdit. J'entre lorsque tout le monde dort. C'est là que je me trouve, à ton bureau. Je glisserai cette lettre dans ton coffre de pirates, à l'intérieur de ta bande dessinée sur les Vikings. Il n'y a que toi qui sauras.

Papi m'a recueilli, après ton départ. Tu le connais, papi, ce n'est pas un bavard, il a la souffrance discrète, l'affection bourrue. Sur sa table de nuit, ton portrait regarde celui de mamie. Il t'a passé un chapelet autour du cou. Un paysan du coin nous rejoint parfois, pour la fine. On s'installe tous les trois, sur la minuscule terrasse, face aux peupliers, on picole en tirant sur de petits cigares polonais qui me font tousser. Papi grommelle, l'autre acquiesce, leurs échanges se résument à peu près à ça. Papi me caresse parfois le dos de sa grosse main rêche. Je parviens par instants à ne pas penser à toi. Un soir, il m'a raconté sa rencontre avec Angelina ; tu aurais dû le voir, il en avait des papillons dans la gorge. « Une fille de fermiers du Piémont, partie seule en France, avec un aller-retour pour Lourdes, le seul voyage autorisé par la clique mussolinienne... Il en fallait du courage... Quand elle m'a vu, elle m'a pris pour Dieu ! » En vieillissant, papi essaie de faire des blagues, je le soupçonne de vouloir me distraire. Je l'ai raccompagné dans sa chambre. Il m'a demandé d'avancer mon oreille vers sa bouche, ce qu'il s'apprêtait à me confier ne devait être entendu de personne, pas même des fantômes, mais à toi, je peux le répéter : «Essaie de te pardonner, mon petit.» Et toi, Ben, tu me pardonnes?

Papi est parti sur la pointe des pieds. La mort ne savait pas par quel bout le prendre. Tu penses, il avait échappé à une guerre, un AVC, une chute de dix mètres, et trois coups de grisou! Alors, elle l'a surpris par traîtrise, pendant son sommeil. C'est moi qui l'ai trouvé dans son lit, endormi. Papi est mort de trop de vieillesse. Autour de lui, tout était en ordre. Le livre sur le chevet, et son testament dans une enveloppe, en guise de marque-page. J'imagine le sourire de mamie quand elle a ouvert les bras pour l'accueillir : «Tu en as mis du temps!»

Me voilà seul avec papa. Il boit dès le petit déjeuner, du lait avec de la vodka, il vient de supprimer le lait. Un agent immobilier est venu renifler dans les parages. Ce signe ne trompe pas : notre famille est officiellement morte. L'histoire s'arrête là. Mon tour est venu, Ben. Je viens d'écrire à Toni. Montrabé, Balma, Gramont, l'auto-école Pascal, le cinéma Gaumont de la place Wilson, la gare de Gragnague, le cuir craquant de la Mercedes, le figuier, les grenouilles, Roger le poisson rouge, les papillons, l'odeur de chlore de la piscine municipale, le marchand de glaces du mercredi, *Taram et le chaudron magique* projeté sur un drap, à la mairie, les laits-fraise de l'après-midi, les pétards Mammouth, le feu d'artifice du 14 Juillet, ces lieux, ces goûts, ces sensations, noyautés par notre passé, me ramènent tous à toi. J'en crève.

On ne respire plus ici. Tu as tout pris. Même l'ennui.

Il ne reste plus rien. Juste le claquement de nos mandibules à table et le bruit du bouchon, à l'étage, quand papa monte chercher le sommeil. C'est ridicule ce que je fais, t'écrire alors que tu n'es plus là, mais il fallait que je te le dise, avant de partir. Oui, Ben, je pars. Je n'ai pas osé en parler à papa, de peur qu'il ne cherche pas à me retenir. Disons que je lui ferai la surprise. Ma faute se dissoudra avec le temps. Parfois, je penserai à toi. J'emporte cette fiole, nous y avions glissé un peu de sable de la dune du Pyla. Je me souviens de ton regard, le jour où tu as découvert l'océan. Une dernière chose, Ben, autorise-moi à oublier cette nuit. Allez, approche, que je te serre dans mes bras, frangin. Je ne suis pas sûr de te l'avoir déjà dit, alors voilà : je t'aime, tu sais.

REMERCIEMENTS

À ma famille,

À «la horde»: Antoine, l'Ermite; Ul, le Croisé;
Grégoire, le Padre; Marius, le Palais; Jon, le Chasseur de
crânes, et les apôtres, Luc et Clément.

Et, bien entendu, à Juliette Joste et Olivier Nora.

Mise en page par Soft Office

Cet ouvrage a été achevé d'imprimer sur Roto-Page
par l'Imprimerie Floch à Mayenne
pour le compte des Éditions Grasset
en juin 2018.

Grasset s'engage pour
l'environnement en réduisant
l'empreinte carbone de ses livres.
Celle de cet exemplaire est de :
650 g éq. CO_2
PAPIER À BASE DE   Rendez-vous sur
FIBRES CERTIFIÉES   www.grasset-durable.fr

N° d'édition : 20503 – N° d'impression : 92843
Dépôt légal : août 2018
Imprimé en France